Más Allá del 11 de Septiembre

Luis Rojas Marcos

MÁS ALLÁ DEL 11 DE SEPTIEMBRE

LA SUPERACIÓN DEL TRAUMA

ESPASA

ESPASA © HOY

© Luis Rojas Marcos
© Espasa Calpe, S. A., 2002

Diseño de la colección: Tasmanias
Ilustración de cubierta: Corina Arranz
Foto del autor: Corina Arranz
Realización de cubierta: Ángel Sanz Martín

Depósito legal: M. 29.624-2002
ISBN: 84-670-0170-4

Espasa, en su deseo de mejorar sus publicaciones, agradecerá cualquier sugerencia que los lectores hagan al departamento editorial por correo electrónico: sugerencias@espasa.es

Impreso en España/Printed in Spain
Impresión: Rotapapel

Editorial Espasa Calpe, S. A.
Carretera de Irún, km 12,200. 28049 Madrid

ÍNDICE

*Dedico este libro a los hombres y las mujeres que,
sin dar su nombre ni mostrar su rostro,
ayudan a desconocidos aun a costa del bien propio.*

Agradecimientos

Agradezco de todo corazón la generosa y experta ayuda que he recibido de Paula Eagle, Gustavo Valverde, Mercedes Hervás y Lucía Huélamo. Me complace en particular haber podido contar con los comentarios alentadores de Isabel Piquer y la sensibilidad fotográfica de Corina Arranz. A Pilar Cortés, Sylvia Martín, Olga Adeva, Rafael González Cortés, Carlos Ezponda, Luis Suñén y demás amigos de Espasa Calpe, les doy mil gracias por su apoyo y entusiasmo.

A todos debo un sentimiento especial de gratitud por haber comprendido, desde el primer momento, la importancia emocional que tenía para mí escribir este libro.

Nota a los lectores

«El terror ha herido brutalmente las emociones más tiernas de pueblos enteros, robándoles la esperanza de que sus hijos y nietos se libren del mismo sufrimiento. No obstante, en el día a día, estos pueblos no padecen violencia ni crueldad. El espíritu de solidaridad, y no el odio, es lo que hace que el mundo dé vueltas.»

JOHN KEEGAN, *Una historia de la guerra,* 1993

Este libro sobre el terror y el trauma que producen las atrocidades es también un libro sobre la bondad y la capacidad humana de superar las desgracias más brutales. El espanto y el daño emocional que nos causan las amenazas de muerte violenta, tanto la·propia como la de nuestros compañeros de vida, con frecuencia se transforman en una fuente de fortaleza, de solidaridad y de amor a los demás.

Los seres humanos anestesiamos la angustia y la inseguridad que provoca en nosotros el miedo a desaparecer de este mundo para siempre, reforzando y haciendo más entrañables las relaciones con otras personas. Y es que el vínculo emocional con nuestros semejantes es la mejor protección contra los sentimientos de vulnerabilidad y de impotencia.

La muerte en circunstancias violentas es el ingrediente fatal de los dramas humanos. En situaciones aterradoras de indefensión, muchas personas luchan por sobrevivir hasta el último segundo, otras enmudecen y se paralizan, algunas se acongojan y claudican. Mas, independientemente de la peligrosidad de los acontecimientos, casi siempre aparecen en el escenario del horror hombres y mujeres bondadosos dispuestos a echar un cable de salvación, a dar alivio, consejo, compañía y esperanza.

En los minutos, horas, días, semanas y meses que siguieron a los ataques terroristas en Nueva York y Washington la mañana del 11 de septiembre de 2001, nadie se libró de ver el desfile interminable de personas desprendidas y abnegadas que con sus actos altruistas contradecían aquello de «el hombre es un lobo para el hombre». Por cada uno de los diecinueve fanáticos suicidas que raptaron y convirtieron los cuatro aviones de pasajeros en misiles devastadores, millones de ángeles anónimos brotaron por todo el planeta.

Pienso que la clave para entender a los ángeles anónimos está en esa fuerza innata que nos empuja a conseguir la seguridad, la libertad, la ilusión y la dicha propias proporcionándoselas a los demás. En este sentido, la satisfacción que producen en las personas sus acciones solidarias es el trofeo que reciben por obedecer a los impulsos naturales.

Sería incorrecto afirmar que la inherente fragilidad de nuestra naturaleza no figura ahora en la definición de quiénes somos. Pero también sería irreal ignorar los millones de hombres y mujeres, mayores y niños, de todo el mundo, que no solo se sobreponen de la conmoción, el dolor, la pérdida y el duelo que causan las atrocidades, sino que renacen con más vitalidad y más fe en la humanidad que nunca. Son como el ave fénix de la leyenda egipcia, aquel pájaro de llanto melódico y de plumas brillantes de oro y escarlata, que después de fallecer y ser consumido por las llamas, resurgió desde sus propias cenizas y volvió a volar victorioso hacia Heliópolis, la ciudad del Sol.

En los capítulos que siguen, en primer lugar relato mi experiencia durante el 11-S y las semanas posteriores al desastre. A continuación describo los daños psicológicos que infligen los sucesos traumáticos en las personas y cómo las poderosas imágenes de terror se almacenan en la mente humana. El espanto y la confusión que nos provocan los recuerdos imborrables de los hechos más dolorosos socavan nuestra vitalidad y alteran nuestro carácter. Con todo, la mayoría de las personas logra completar el camino natural que nos lleva a la superación de los traumas.

Finalmente, describo cómo el esfuerzo por alcanzar un nuevo equilibrio psicológico se vio enfrentado con un fuerte incremento de casos de depresión, con un sentimiento generalizado de vulnerabilidad y con el miedo a sufrir un nuevo ataque terrorista. Al mismo tiempo, se exaltó el nacionalismo, se recrudeció la fobia a los extranjeros, y una fracción importante de la sociedad y sus líderes se dejó arrastrar por una sed insaciable de venganza. Mientras se ponía de relieve el influyente papel de la televisión como fuente inmediata de información global, este medio también se convirtió en un instrumento de manipulación de la realidad.

La ausencia de mujeres en los círculos políticos y militares de influencia se hizo patente. Por otra parte, se produjo un florecimiento insólito de la espiritualidad, de la filantropía, del altruismo y de las actividades voluntarias de apoyo social. Estas fuertes tendencias solidarias y esperanzadoras no templaron, sin embargo, la obstinada nostalgia del pasado, la creencia pesimista de que vivimos en los peores momentos de la Historia. Para terminar, presento el arduo dilema que nos plantea la cuestión de perdonar lo imperdonable.

Antes de concluir esta breve nota, querido lector o lectora, quiero deciros que por motivo del cargo público que ocupaba el 11-S, de presidente del Sistema de Sanidad y Hospitales Públicos de Nueva York, viví muy de cerca el suceso. Y aunque durante mis treinta y cinco años de trabajo en el campo de la salud pública de esta ciudad he presenciado, como es natural, muchas desgracias humanas, confieso que las escenas estremecedoras que contemplé ese fatídico día, y el dolor masivo y recalcitrante que durante meses sentí en tantas víctimas y en sus seres queridos, fueron profundamente traumáticos para mí.

Pese a que escribir este libro me ha supuesto traer a la memoria los penosos detalles de aquellos días, me alegro de haberlo hecho. La razón es que desde el instante en que me puse a ordenar los recuerdos, las ideas y los sentimientos, me di cuenta de que el 11-S no solo me enseñó mucho sobre lo que es sufrir, sino que me iluminó aún más sobre lo que es vivir. Al final, la lección principal que he aprendido es que la solidaridad humana posee un inmenso poder restaurador y que las personas somos asombrosamente resistentes ante las más terribles adversidades.

1
ESCENARIO DEL HORROR

«Por primera vez en su larga historia, Nueva York puede ser destruida. Una simple formación de aviones, no mayor que una bandada de gansos, puede acabar con la fantasía de esta isla, quemar sus torres, destrozar sus puentes, convertir sus túneles en cámaras de muerte, incinerar a millones. Esta insinuación de mortalidad es ahora parte del alma de la ciudad.»

ELWYN B. WHITE, *Esto es Nueva York,* 1949

Doctor Marcos, doctor Marcos, le llaman del Centro de Control de Emergencias para que se presente allí urgentemente. ¡Un avión acaba de estrellarse contra una de las Torres Gemelas!»

Con esas palabras, susurradas discretamente en mi oído, y una expresión en la mirada que revelaba un grado de nerviosismo y preocupación inusuales en Lynnette Murph, esta veterana secretaria, siempre serena y juiciosa, anunciaba, sin saberlo, el capítulo más terrible e inimaginable de la vida de millones de hombres y mujeres, incluida la mía.

Eran las nueve menos diez de la mañana del martes 11 de septiembre de 2001. Me encontraba en mi despacho, en el edificio de la Corporación de Sanidad y Hospitales Públicos de Nueva York, situado en el sur del barrio de Manhattan, en el número 125 de Worth Street, a solo un kilómetro del World Trade Center, donde desde hacía treinta años se alzaban las colosales y emblemáticas Torres Gemelas. Estaba reunido con un grupo de médicos y ejecutivos, inmersos en una amena discusión sobre el relativo buen estado económico que gozaba ese año el sistema hospitalario público neoyorquino que yo dirigía desde hacía algo más de seis años. Estábamos especulando también sobre los resultados eventuales de las elecciones primarias a la alcaldía entre los candidatos demócratas, que se celebraban ese mismo día.

En aquella tranquila y soleada mañana de otoño, al escuchar esta primera noticia sospeché que lo más seguro era que se tratara de un percance fortuito. Imaginé que algún piloto se habría despistado a los mandos de una de esas avionetas que sobrevuelan continuamente el río Hudson transportando gente de negocios a Albany, la capital del estado de Nueva York. También me figuré que podría haber sido un accidente provocado por algún pequeño avión sobrecargado de los ávidos turistas que pagan cualquier precio por contemplar la Estatua de la Libertad a vista de pájaro o la impresionante masa de rascacielos apretujados que sobresale al sur de la isla de Manhattan.

No sentí la necesidad de alarmar a nadie, así que, sin explicar el motivo de mi partida, notifiqué tranquilamente a mis compañeros que tenía que ausentarme, y les sugerí que continuasen la reunión sin mí.

El Centro de Control de Emergencias estaba ubicado en el piso 23 del número 7 del World Trade Center, un edificio de 47 plantas situado a cien metros escasos al norte de las Torres Gemelas. Utilizo el verbo en tiempo pasado porque este rascacielos se desplomaría ocho horas más tarde que las Torres Gemelas, al hacer explosión los depósitos de combustible localizados en el sótano. «El búnker», como se conocía popularmente al citado centro de emergencias, fue construido en 1998. Dotado de agua potable, electricidad y fuente de oxígeno propias, contaba además con sistemas independientes de comunicación audiovisual vía satélite y numerosas pantallas de televisión, en las que se veían en directo los centros neurálgicos más importantes del área metropolitana. También almacenaba todo tipo de provisiones para que cincuenta y tantas autoridades civiles y militares pudieran sobrevivir con relativo confort varios meses sin salir de allí, en caso de una crisis o emergencia grave en la ciudad.

Desde el momento en que se hizo público el plan de edificar el fortín, el tema se convirtió en motivo de polémica y hasta de chistes. El proyecto de construir el Centro de Control de Emergencias de la ciudad en un piso 23 recibió, además, numerosas críticas de algunos expertos que, por razones de seguridad, censuraron su alto emplazamiento. No pocos rivales del alcalde, Rudolph W. Giuliani, lo consideraron un lujo innecesario, pues su precio —veinte millones de euros— les parecía excesivo. Tampoco faltaron los incrédulos que lo calificaron como el producto de la mente calenturienta de Giuliani, un autoritario regidor ex fiscal, un hombre que, según ellos, desde que llegó a la alcaldía se había obsesionado con fantasiosas intrigas y siniestras conspiraciones. Alguien que no dudaba en elogiar y aludir constantemente a la novela de gánsteres mafiosos *El padrino*, de Mario Puzo, como su obra favorita de todos los tiempos.

Gracias a la destreza de Víctor Ortiz, mi puntual y alegre chófer puertorriqueño, que encendió inmediatamente las luces rojas intermitentes y la sirena del coche oficial, llegamos a los pies del «búnker» en menos de cinco minutos. Justo al parar delante de la puerta del edificio nos llevamos el primer susto: un trozo de hormigón, desprendido probablemente de la Torre Gemela Norte dañada por el primer avión, cayó ruidosamente sobre el parabrisas trasero del automóvil, rociándonos a los dos con una lluvia de cristales hechos añicos. El impacto nos hizo temer un derribo aún mayor, por lo que Víctor, siempre previsor, decidió aparcar el vehículo en West Street, a un par de manzanas del inmueble, para no quedarnos sin transporte.

Subimos en ascensor, pero nada más entrar nos obligaron a evacuar el lugar de inmediato. Otro avión, nos dijeron, había chocado contra la Torre Gemela Sur. Bajamos apresurados por las escaleras y nada más pisar la calle me encontré con Thomas von Essen, delegado del servicio de bomberos y buen amigo mío, que en ese momento llegaba a la reunión acompañado de dos ayudantes. Thomas, un hombre de cincuenta y tantos años, de raíces holandesas, había sabido granjearse la simpatía, el cariño y el respeto de los neoyorquinos. De carácter afable, sosegado, buen sentido del humor, porte algo regordete, con mejillas sonrosadas, grandes ojos azules y sonrisa contagiosa, su presencia en los siniestros siempre transmitía seguridad y optimismo.

—«Thomas, ¿qué hacemos?»—le pregunté aprensivo.

—«Vamos a buscar otro sitio más seguro donde podamos reunirnos con Rudy, Bernie y los demás» —me respondió impasible, refiriéndose coloquialmente al alcalde, al jefe de policía, Bernard Kerik, y al grupo de autoridades que formábamos parte del Consejo de Control de Emergencias—. «Entre tanto, ¿por qué no te vienes con nosotros al puesto de mando provisional que hemos instalado enfrente de las Torres?» —añadió.

—«De acuerdo» —le contesté casi en un acto reflejo.

Nos pusimos en marcha a paso ligero. Thomas y sus ayudantes iban delante hablando animadamente. Mi chófer y yo les seguíamos de cerca, mirando de vez en cuando hacia arriba, asombrados a la vista de las enormes brechas de llamas y humo que sajaban la parte alta de las dos Torres Gemelas.

Mientras caminábamos las dudas comenzaron a apoderarse de mí. Una parte de mi mente, intuyendo quizá un riesgo muy diferente a los que me había enfrentado en mi vida hasta entonces, me urgía a que no siguiese, me imploraba que buscase cualquier excusa y me fuese de allí. «¿Qué demonios pinta un psiquiatra español en medio de todo esto?», me cuestionaba implacable la voz del emigrante que llevo dentro, que solo se dirige a mí en coyunturas penosas, humillantes o de crisis. «No tienes ningún derecho a poner en peligro a Víctor, un padre de familia con mujer y tres hijos», machacaba otra voz calando más hondo. Segundos después, la parte más disciplinada de mi mente ganaba la batalla: «Tu presencia aquí es importante. La proximidad al suceso te permitirá transmitir información fiable a los hospitales y facilitar su mejor preparación para asistir a las víctimas y quizá salvar más vidas». En medio de este dilema tan íntimo, algo que me tranquilizó y me hizo sentir más seguro fue pensar que tenía la suerte de estar con Thomas von Essen, uno de los mayores expertos en incendios del mundo. Aliviado en cierta medida, compartí este pensamiento reconfortante con Víctor y seguidamente le ordené que no se separara de mí en ningún momento. Tenía el vago presentimiento de que los dos juntos estaríamos más seguros.

En unos diez minutos llegamos al puesto de mando de los bomberos, al pie de las dos Torres Gemelas. El escenario era sobrecogedor, el espectáculo increíble, las imágenes alucinantes. A pocos metros de nosotros los dos rascacielos ardían en inmensas llamaradas como cirios gigantescos que parecían marcar las puertas del infierno. La visión despiadada y horripilante de ejecutivos agarrados por fuera a los marcos de las ventanas de los pisos altos, tambaleándose indefensos, me heló la sangre. Pero el recuerdo más imborrable y desgarrador son los cuerpos de hombres con corbata y alguna mujer en traje de chaqueta que caían al abismo dando tumbos como peleles, algunos envueltos en llamas. Su trayecto agónico y, para mí, interminable culminaba con un fuerte golpe seco contra el pavimento o estampándose estrepitosamente en la claraboya de cristales que formaba el techo del comedor del lindante Hotel Marriott.

Me sentí estremecido, muy tenso y, a la vez, como en un trance hipnótico. Ensimismado observaba cómo Thomas dirigía la acción junto a los jefes y héroes populares, Bill Feehan y Peter Ganci, y otros veteranos del servicio de bomberos. Embutidos en sus pesados trajes incombustibles, negros con franjas amarillas, en sus vistosos cascos plateados se reflejaba un sol medio eclipsado por el humo gris oscuro que manaba de las torres ardiendo. Me llamó la atención la serenidad con la que se comunicaban por radio con los compañeros que subían sin titubear por las escaleras de las torres, resueltos a cumplir el heroico cometido de liberar a sus ocupantes y apagar el fuego.

Mi mente trató de escapar del horror que me rodeaba y por unos segundos imaginé que me encontraba en Hollywood, en medio del rodaje de una de esas películas apocalípticas, una mezcla de *El coloso en llamas, Independence Day, Armageddon, Godzilla* y *Daño colateral.* Pero la lucidez me devolvió enseguida a la realidad: lo que estaba presenciando no era una ficción de celuloide, sino una aterradora escena real. Entonces pensé que tenía que avisar por teléfono a los hospitales más cercanos sobre la catástrofe, para asegurarme de que tendrían listo todo el dispositivo médico logístico para recibir a los heridos.

Pero mi teléfono móvil no funcionaba. Fue en aquel momento cuando un desconocido que estaba en aquella vorágine se ofreció amablemente a acompañarme a las oficinas del edificio adyacente, el Financial Center, para que pudiera acceder a un teléfono fijo. Juntos llegamos al vestíbulo y yo entré con Víctor en un despacho de la planta baja y llamé a Carlos Pérez, director del Hospital Bellevue, el centro más cercano al siniestro. Bellevue es el hospital general público más antiguo y reconocido del país. Tiene 850 camas para enfermos agudos y sus servicios de traumatología y urgencias le otorgan un merecido renombre nacional.

Carlos no solo es un amigo, sino además era un miembro esencial de mi equipo de trabajo. De origen dominicano, es reconocido en el mundo de la sanidad neoyorquina por su ecuanimidad y aplomo en situaciones difíciles. Finalmente nos pusimos en contacto. Le expliqué la situación y le sugerí que pusiera en marcha el plan de emergencia para desastres. Este plan consiste en dar de alta a los enfermos más leves para dejar libre el mayor número posible de camas, cancelar las intervenciones quirúrgicas que no son urgentes, preparar los quirófanos y organizar equipos adicionales de médicos y enfermeras para atender sin demora una avalancha de pacientes graves. No llevaría mucho más de cinco minutos hablando cuando el inmueble en el que me encontraba comenzó a temblar violentamente en medio de un rugido ensordecedor. «Carlos, las cosas se están poniendo realmente mal por aquí, prepárate», fueron mis últimas palabras antes de que se cortase en seco la comunicación telefónica.

En un par de minutos cesaron las sacudidas, pero pronto me percaté de que estaba atrapado con otras ocho o nueve personas en el interior del Financial Center. Ninguno de los allí encerrados teníamos idea de qué había ocurrido. Estábamos a oscuras, sumergidos en una espesa polvareda irrespirable, y nadie sabía dónde estaba la salida. En medio de una angustiosa confusión y con el eco de fondo de las desesperadas plegarias que pronunciaban algunos de los cautivos, oí a un hombre que se identificó como teniente de policía. Con palabras firmes, serenas y esperanzadoras impuso silencio y nos indicó que, por nuestra seguridad, nos mantuviésemos unidos y no nos moviésemos de allí. A continuación, este personaje providencial, sin nombre ni rostro, desafió las tinieblas y se marchó solo en busca de posibles salidas. Tras varios intentos sin éxito, por fin reapareció, nos pidió que nos agarrásemos unos a otros en fila india y nos guió con la luz de una linterna hacia el exterior. Una vez afuera, todos ilesos, alzó el puño, pulgar arriba, y se despidió sonriente.

—«¡Tened buena suerte!» —exclamó, y seguidamente se dio media vuelta.

—«¿Está usted loco? ¡Véngase con nosotros!» —le rogué a gritos.

—«Regreso enseguida; solo voy a comprobar que no queda nadie dentro» —me respondió antes de desaparecer en la densa nube de polvo blanco.

Pasaron horas antes de enterarme de que la especie de terremoto que habíamos sentido mientras yo hablaba por teléfono fue causada por el derrumbamiento de la primera torre, la Torre Gemela Sur, y los graves daños que sus despojos ocasionaron al caer sobre el edificio donde nos encontrábamos. Mi estremecimiento aumentó cuando supe que el desplome de esta torre había aplastado mortalmente a la mayoría de los bomberos que se hallaban en el puesto de mando, donde yo había estado apenas momentos antes, incluyendo a los jefes Bill Feehan y Peter Ganci. Thomas von Essen se salvó de milagro. Según me relató por la tarde él mismo, abrumado por la emoción y el dolor, pocos segundos antes de caerse la torre él también se había marchado del puesto, acudiendo a una llamada del alcalde, que ya venía de camino y le pidió que saliese a su encuentro.

Una vez fuera del accidentado Financial Center, donde gracias a que no me funcionaba el móvil y a la intervención audaz de un generoso desconocido había salvado mi vida, huí con Víctor. Después de sortear montañas de escombros salpicadas de cuerpos sin vida, nos abrimos paso en medio de un tropel de hombres y mujeres que corrían despavoridos en todas direcciones. Envueltos en una lluvia de polvo blanco que les daba aspecto de fantasmas, unos chillaban, otros habían enmudecido. Aterrados, todos tratábamos de no respirar el aire espeso tapándonos la cara con la ropa. En medio del caos, escuchamos el ruido de otro avión que se acercaba. Como si estuviésemos en medio de un combate militar, Víctor, que es un veterano de la guerra de Vietnam, me gritó:

—«¡Doctor, no se preocupe: es un caza militar de los nuestros!».

La sensación, totalmente visceral y empapada de adrenalina, de que uno está a punto de morir es tan potente que llena el tiempo presente de una significación y clarividencia extraordinarias. El «aquí» y el «ahora» se convierten en el ojo de una aguja a través del cual enhebramos toda nuestra vida. «Si sobrevivo a esto —me dije— prometo solemnemente saborear cada segundo de mi existencia, valorar cada instante, amar incondicionalmente a todos mis compañeros de vida.» De repente, cruzaron como un relámpago por mi mente algunas frases entrecortadas de la carta de despedida atribuida al escritor colombiano Gabriel García Márquez, que unas semanas antes mi hija Laura me había enviado por Internet: «Si por un instante Dios se olvidara de que soy una marioneta de trapo y me regalara un trozo de vida, no dejaría pasar un solo día sin decirle a la gente que quiero, que la quiero. Convencería a cada mujer u hombre de que son mis favoritos. Les diría al oído lo mucho que los necesito, los querría y los trataría bien. Tomaría tiempo para decirles "lo siento", "perdóname", "por favor", "gracias" y todas las palabras de amor que conozco. Y solo miraría a otro hombre hacia abajo para ayudarle a levantarse».

Huíamos Víctor y yo hacia el norte de Manhattan cuando, sin esperarlo, nos tropezamos con el coche oficial que habíamos aparcado en West Street. Tenía abolladuras por todas partes, varios cristales rotos y estaba cubierto por tres centímetros de ceniza, pero funcionaba. Con Víctor al volante, abriéndose camino casi a ciegas entre un tumulto anárquico de ambulancias y coches de bomberos que iban y venían con las sirenas a tope, y una muchedumbre que escapaba, logramos salir de aquel inolvidable infierno.

Minutos más tarde, la Torre Gemela Norte, que ya habíamos dejado atrás, se desplomaba. Su caída provocó un tornado de polvo grisáceo que fluía con una fuerza arrolladora entre los edificios de las calles circundantes y perseguía de cerca a la multitud de personas que corrían espantadas, intentando no ser engullidas.

Al ir alejándonos del epicentro del desastre en dirección al Hospital Bellevue, vi riadas de gente que andaba aturdida, pasmada, entumecida. Algunos se paraban a mirar al horizonte humeante y se quedaban impávidos, perplejos, como si estuvieran ante un espejismo inverosímil. Por la radio del coche supe que un avión comercial había chocado contra el Pentágono, en Washington, alrededor de las diez menos veinte de esa misma mañana, y, media hora más tarde, otro aparato se estrellaba en un campo de Pensilvania. Este último, al parecer, después de que un grupo de pasajeros intentara inútilmente detener por la fuerza a los terroristas suicidas.

A ráfagas, la tragedia adquiría en mi mente un tinte surrealista. Visualicé un viento lleno de mensajes electrónicos de entrañables despedidas. Muchos de los pasajeros de los aviones raptados y de las víctimas inocentes que se encontraban en los pisos altos de las Torres Gemelas, a punto de sucumbir, alcanzaron a tiempo sus teléfonos móviles para comunicarse con sus seres más queridos. Nadie dio un grito de venganza; solo simples palabras de amor llenaron el aire en aquellas horas fatídicas. Quienes lograron conectar desde las alturas, mientras su momento final se disipaba y la más cruel agonía invadía el mundo a sus pies, se despedían con un «te quiero», o un «cuídate mucho», o un «sé feliz», o «un beso».

Según testimonios recogidos por el diario *The New York Times,* Stuart Meltzer, de treinta y dos años, desde el piso 105 de la Torre Gemela Norte, llamó por el móvil a su mujer y le dijo: «Amor mío, algo terrible está ocurriendo. No creo que sobreviva. Cuida de los niños. Te quiero». Brian Sweeney, de treinta y ocho años, pasajero del avión que se estrelló contra la Torre Gemela Sur, grabó un mensaje en el contestador de su prometida: «Hola, Julie; soy Brian. Estoy en un avión que ha sido secuestrado. Solo quiero decirte que si no nos vemos más, por favor, diviértete y vive la vida lo mejor que puedas. Te quiero. Pase lo que pase, sé feliz». Daphne Bowers llegó al Hospital Bellevue ayudada por dos vecinas. Lloraba desconsoladamente y en la mano llevaba una pequeña foto enmarcada de su hija Veronique, de veintiocho años.

—«Fue a trabajar a las torres esta mañana con su chaqueta blanca y una falda negra —repetía una y otra vez entre sollozos—; me llamó por teléfono y me dijo "Mamá, el edificio está ardiendo, sale mucho humo por las paredes, no puedo respirar; adios, mamá, un beso"».

Antes de perderse en el infinito, estas últimas palabras se convirtieron en preciosas reliquias para quienes quedaron atrás. En muchos casos sirvieron también para unir la dicha del amor con el dolor de la muerte. Como ramas de enredaderas, el amor y la pérdida del ser amado se entrelazaron para siempre en el corazón de los supervivientes.

El desgarro de esas amorosas y sencillas palabras llegaba hasta mí como una revelación brutal: la cruda realidad es que no existe el «juntos para siempre», aunque basemos gran parte de nuestro aliciente de vivir en esa disparatada fantasía. Las personas inevitablemente morimos, nos separamos y terminamos solos. Pese a ello, pensé, nos empeñamos en llevar la entelequia del emparejamiento hasta el límite. Por eso llamamos a los nuestros para expresar amor eterno segundos antes de morir quemados. Emparejarnos es nuestro impulso natural primario. Nos mantenemos enganchados unos a otros a pesar de los avatares inesperados que nos separan, incluso cuando estos nos conducen a la muerte. Y es que, pase lo que pase, la unión con otro ser es la mejor, a veces la única, defensa que tenemos en contra de las agresiones caprichosas del destino.

Al llegar al Hospital Bellevue me llevé una penosa sorpresa. Dada la dimensión del siniestro, por las decenas de miles de personas que diariamente trabajaban, visitaban o circulaban por las Torres Gemelas y sus inmediaciones, anticipaba un hervidero de urgencias, un sinnúmero de accidentados. Desafortunadamente, no fue así. A las puertas del hospital, unos doscientos médicos en bata blanca, y otras tantas enfermeras, ansiosos por salvar vidas, miraban al infinito en silencio, incrédulos, esperando con creciente aprensión a los heridos que nunca llegaron. Tenían en sus manos expertas todo lo que necesitaban para cumplir su misión. Pero no había a quien dedicársela. No tardó mucho tiempo en calar en el ánimo del personal sanitario la sensación amarga de que, en este drama, su papel fue tristemente secundario. Los damnificados, en la hora y cuarenta y dos minutos que duró el primer acto, se dividían en dos claros grupos: el de los vivos y el de los desaparecidos.

No fue un mal sueño

A la mañana siguiente, tanto los neoyorquinos que habíamos sido víctimas o testigos presenciales de la impensable hecatombe, como los millones de personas que recibieron el impacto de la matanza a través de la televisión, amanecimos anhelando que todo fuese una pesadilla, esperando ansiosos ver una nueva alborada. Pero ni la masacre había sido un delirio, ni la primera luz del Sol irradiaba la esperanza de un nuevo día. No era posible. Nada tenía el poder de anular la monstruosidad del día anterior.

En mi pequeño mundo, impulsado por la idea de que lo que nos imaginamos es casi siempre peor que la realidad, decidí que sería beneficioso para mí domar los delirios, amansar los espectros y evitar las memorias falsas. Me propuse extraer de los sentimientos de total indefensión que me habían conmocionado una perspectiva racional, una explicación precisa, una historia desapasionada que me diese alguna sensación de control y me ayudase a aplacar y acorralar el terror que albergaba dentro de mí. Con este propósito volví al escenario fatal del día anterior, para rastrear mis pasos, ver con mis propios ojos lo que había quedado del Centro de Control de Emergencias, de las Torres Gemelas, del puesto de mando de los bomberos y del Financial Center, donde Víctor y yo nos salvamos por pocos minutos de ser triturados al venirse abajo la primera torre.

Muñones de hierro retorcido, columnas de humo espeso y montañas de rescoldos en llamas marcaban el terreno que veinticuatro horas antes aún ocupaban las Torres Gemelas y los cinco rascacielos colindantes que componían el World Trade Center, incluyendo el edificio que contenía el «búnker» y el Hotel Marriott. El Financial Center seguía en pie, pero estaba prácticamente destrozado. Aquello era ahora un lugar tétrico, amortajado con una sábana opaca de ceniza blanquecina de olor amargo. Mandíbulas de grúas mordían con lentitud la imponente masa de cascotes incandescentes mientras, en silencio, cientos de bomberos y personal de rescate, abatidos y cubiertos de polvo, algunos guiados por perros rastreadores, removían con cuidado los escombros con palas y palancas en busca de algún signo de vida.

Coros de sollozos y suspiros melancólicos quebraban cada dos o tres minutos el aplastante silencio. Hombres curtidos, fuertes como robles, de manos encallecidas, rompían a llorar vencidos por la pena. Este era el aviso cierto que anunciaba la aparición de alguien con una bolsa de plástico verde en la que depositaban con delicadeza un cadáver o los restos indistinguibles de cuerpos mutilados.

Pasé horas en aquella necrópolis, intentando que mi presencia allí me ayudara a recolocar la experiencia aterradora del día anterior en un contexto inteligible y controlable. Pero me di cuenta de que mi pretensión no era realista. La lúgubre verdad ante mis ojos no se distinguía mucho de mis peores fantasías.

Con el paso de los años, el paisaje de nuestras vidas se llena de cráteres, como la superficie de la Luna. Pero el cráter que formó en mí esta experiencia era especialmente profundo y doloroso. Sospecho que, en parte, la razón era que no lograba encontrar una explicación que me ayudase a comprender y asimilar la inconcebible tragedia.

Pronto se hizo evidente que el gran desafío ante quienes nos dedicamos al tema sanitario consistía en aliviar el dolor de los miles de almas desgarradas por la catástrofe, incluidas las nuestras.

En el amplio patio de un cuartel del ejército situado en la avenida Lexington, esquina con la calle 29, a escasas manzanas de mi casa, el municipio instaló un centro de acogida para los familiares de las víctimas. Durante las veinticuatro horas del día, colas interminables de hombres y mujeres afligidos, pero que se resistían a perder la esperanza, pasaban por el centro para inscribir a sus parientes ausentes, someterse a análisis de ADN para identificar los restos humanos de sus familiares perdidos, compartir sus miedos y anhelos con otros, desahogarse con ayuda de consejeros voluntarios o, simplemente, para no estar solos. En mis visitas a este centro de acogida tuve la oportunidad de confir-

mar lo recalcitrantes que son la esperanza y el optimismo humanos. Incluso frente a las probabilidades más
desfavorables, no dejamos de ver como posible lo que
deseamos. Al final, solo cinco supervivientes serían re-
cuperados de las ruinas, todos ellos en las primeras
cuarenta y ocho horas.

Días después, mientras mucha gente caminaba por
las calles con la mirada fija en el vacío y un silencio es-
pectral de incomprensión, miles de personas, impulsa-
das por una mezcla de promesa y angustia, emprendían
la larga y penosa búsqueda de sus seres queridos desaparecidos. Mostrando fotografías antiguas de sus caras
sonrientes, recorrían incansablemente los hospitales,
los cuarteles de bomberos y las comisarías de policía de
la ciudad. La mayoría terminaba su vía crucis en los depósitos de cadáveres, repasando las listas de muertos.

Grandes murales encabezados por un letrero que
decía DESAPARECIDOS comenzaron a brotar por todas
partes. En estas paredes, los familiares y amigos pega-
ban retratos de los suyos ausentes, sus semblantes fi-
jos, alegres, incongruentes con su trágico final. Al pie
de cada foto se podía leer la edad, la altura y demás
datos personales de la víctima, como detalles de cica-
trices o tatuajes, y el teléfono de contacto en caso de
tener información. Estos conmovedores mausoleos
improvisados, poblados de inolvidables caras inocen-

tes, reflejaban la enormidad y la incoherencia de la atrocidad.

Nuestra vida había cambiado. Cada día nos seguíamos levantando, desayunábamos, llevábamos a los niños al colegio, acudíamos al trabajo, leíamos la prensa, escuchábamos la radio, comíamos, mirábamos la televisión y cumplíamos con los quehaceres cotidianos, pero nada parecía igual. Era una vida venida a menos; menos vigorosa, menos cierta, menos alegre. Una vida sombría, impredecible, frágil, extraña, en la que se echaba en falta esa sensación impalpable de familiaridad que, por ser tan natural, siempre pasa desapercibida.

Fueron días de privación, de no ver el horizonte de siempre, de no dormir, de falta de libertad de movimientos, de no sentir seguridad, de no poder planificar lo que íbamos a hacer en el futuro, de no saber cómo contestar a las preguntas de los niños. Días de ausencias y nostalgias, de echar de menos a personas cercanas queridas y a otras que nunca habíamos visto, de no poder contener las lágrimas y de no saber por qué.

Fueron también días y noches en estado permanente de alerta, de no ser capaz de olvidar lo sucedido ni por un instante. El humo en el cielo, el sabor acre del aire, los miles de sonrisas imperturbables de seres desaparecidos fijadas en los muros, la resonancia de los llantos y el eco de las súplicas no permitían el olvido.

La esperanza que movió a mucha gente durante los primeros días se fue transformando lentamente en desmoralización y duelo. Decidí mandar una nota afectuosa de condolencia a los empleados de la Corporación de Sanidad y Hospitales Públicos que hubiesen perdido algún ser querido, creyendo que serían quince o veinte. Al final, envié 153 cartas de pésame. Poco a poco se nos fueron agotando las reservas físicas y emocionales, y colmando la capacidad de absorber la inmensidad del dolor humano que inundaba la ciudad.

Llegó el momento en el que ansiábamos continuar, pero no teníamos fuerzas. Las palpitaciones en el pecho, el agujero en el estómago y el pesar en el centro de nuestro ser se hicieron insoportables. Y es que la intensidad emocional que la mente humana puede asimilar tiene un tope. El horror y el sufrimiento que empapaban el ambiente sobrepasaban lo que nuestras neuronas podían tolerar.

UN MUNDO DIFERENTE

Para poder comenzar el proceso de adaptación y normalización necesitamos, antes que nada, restaurar nuestro sentido básico de seguridad en el mundo que nos rodea y recuperar la sensación de que podemos tomar decisiones y controlar razonablemente nuestra vida. Sin embargo, no habían transcurrido ni cuatro semanas desde los atentados cuando el ejército de Estados Unidos emprendió el ajuste de cuentas bombardeando e invadiendo Afganistán, lo que dio comienzo a la primera gran guerra del milenio. A esta contienda sangrienta en el sur de Asia no tardaron en sumarse otros enfrentamientos bélicos en distintas partes del planeta, en particular en Oriente Próximo.

Conscientes de la inestabilidad que reinaba en el mundo y profundamente afectados por el 11-S, muchas personas se hicieron muy sensibles a lo que ellas percibían como presuntas señales de peligro. Individuos, objetos o sonidos, normalmente inocuos, adoptaban un tinte amenazador. Un desconocido de aspecto árabe, un paquete abandonado en la esquina de la calle, el ruido de los motores de un avión volando bajo o el eco en la distancia de la sirena de un coche de bomberos, se convertían en motivo de sospecha y de temor. Hechos y cosas que en otras circunstancias no hubieran merecido atención especial, adquirieron de pronto el poder de desencadenar sentimientos de pánico. Lo más desconcertante de todo era vivir con el presentimiento de que cosas tan corrientes como un viaje en avión o un trabajo en un edificio alto podían apartarnos para siempre de este mundo y relegarnos al olvido.

El 5 de octubre se hizo pública la noticia de que Robert Stevens, de sesenta y tres años, fotógrafo del diario *Sun,* había muerto en un hospital de Palm Beach (Florida) a causa de una infección pulmonar de ántrax contraída a través del correo. El primer caso de ántrax en el país desde 1976, y el primero causado intencionalmente en toda su historia. La hipotética amenaza de bioterrorismo se transformaba así, de inmediato, en una inquietante realidad. Era además un peligro verosímil que interfería con nuestra capacidad natural de recuperación del daño emocional provocado por los sucesos del 11-S.

En los días que siguieron, misivas contaminadas con esporas de ántrax aparecieron en diferentes partes del país. En Nueva York los objetivos principales de estas epístolas letales fueron las grandes cadenas de televisión, quizá por representar la libertad de expresión y ser espejo de los excesos de Occidente. En menos de dos meses, cinco personas murieron de esta siniestra infección, unas veinte se infectaron y más de treinta mil recibieron tratamiento con antibióticos por haber estado expuestas al bacilo que la produce. El simple aviso de la llegada de una carta, especialmente inesperada o sin remitente, pasó a ser de una buena nueva a un mal augurio que detonaba la pesadilla del terrorismo.

Fueron tiempos de temer tanto cosas desconocidas como conocidas. Los confiados neoyorquinos nos vimos instalados en un estado de temor y vulnerabilidad sin precedentes, y los líderes nacionales no daban la impresión de estar en mejores condiciones. Quizá olvidando que en las crisis sociales y en las guerras los símbolos adquieren un significado especial, en menos de un mes y medio los atemorizados miembros del Congreso evacuaron su sede en Washington en dos ocasiones. La primera en septiembre, después de los ataques, y la segunda en octubre, cuando la oficina del senador Tom Daschle fue designada «zona caliente» de ántrax. Algo que nunca había ocurrido en el país, ni siquiera durante la guerra de 1812 contra los ingleses, en la que los soldados británicos llegaron a quemar la Casa Blanca. Una prueba más de que la misión de los agresores se había cumplido. En esta ocasión, el terrorismo había ganado.

Nadie cuestiona la admirable labor que hizo el alcalde Rudolph Giuliani, un impresionante líder en tiempos difíciles. Desde el primer momento, Giuliani dirigió con compasión y firmeza, comunicó con claridad las prioridades, mantuvo el orden e infundió calma y confianza a millones de ciudadanos traumatizados. Pero sus extraordinarios esfuerzos eran periódicamente menoscabados por la inquietud que creaban las ambiguas alarmas de los dirigentes nacionales, apremiándonos a «prepararnos» porque en cualquier momento se produciría otro acto terrorista. Y es que en la mente humana el miedo a ser objeto de una agresión inesperada a manos de un extraño posee un ingrediente espeluznante especial. La casualidad es aterradora. Precisamente la violencia imprevista, que además utiliza medios corrientes para destruirnos, forma el argumento de nuestras peores pesadillas. Lo estremecedor de estos sucesos es que rompen los esquemas y principios básicos sobre los que se construyen la convivencia y el orden social.

Ante las grandes crueldades, todos, en algún momento, buscamos ansiosamente explicaciones que den sentido a los hechos, que llenen ese amargo vacío de incomprensión que crea en nosotros el sufrimiento de criaturas inocentes y el ensañamiento de sus verdugos. «¿Por qué nos odian?», era la pregunta que se oía continuamente en la calle y en las tertulias familiares. Tras el 11-S, las listas de libros más vendidos contenían casi exclusivamente obras que versaban sobre el mundo árabe y el islam, claro reflejo del esfuerzo que realizó la población por encontrar la respuesta. Con todo, para muchos neoyorquinos, darse cuenta de repente de que en otras partes del mundo eran detestados y demonizados hasta el punto de merecer la muerte constituyó una amarga sorpresa.

Otra fuente de desconcierto entre los afectados fue descubrir la disparidad entre la devastadora y sangrante experiencia real y la fría y cruel interpretación que algunos daban de esa realidad. Aún no habían dejado de arder los escombros ni los cuerpos y ya abundaban las acusaciones de comentaristas de países amigos culpando al pueblo torturado de haber traicionado sus principios morales y causado su propia derrota. Me figuro que estas sentencias despiadadas, en el fondo, no eran otra cosa que una forma de regocijarse y celebrar la destrucción del sueño frívolo de los estadounidenses que pensaban que podían tenerlo todo sin tener que pagar ningún precio y sin sentir más miedo que el que provocaban los programas nocturnos de la televisión por cable.

Muchos líderes políticos y de opinión del momento tampoco ayudaron a clarificar la situación. Incapaces de servirse de la objetividad, la autocrítica o la razón, recurrieron al subterfugio simplista de explicarlo todo en términos de «buenos y malos». Según ellos, el problema se reducía a la aparición siniestra de grupos de asesinos pecadores que, amparándose en doctrinas incomprensibles y lejanas, se estaban infiltrando en el mundo de los virtuosos, decididos a destruir los valores fundamentales de justicia y libertad. Con esto no quiero sugerir que los terroristas no sean malvados y no merezcan ser calificados como tales. Pero cuando los enemigos de un pueblo son transformados en símbolos políticos emocionales, o en seres abstractos alienados, desprovistos de caracteres humanos, resulta más difícil comprender el verdadero significado de sus actos y la realidad de sus motivaciones, y acertar a la hora de planificar la forma de influenciarlos o derrotarlos. En este sentido, encuentro provechosas las palabras del escritor libanés Khalil Gibran, quien nos advirtió hace cien años en su obra *El profeta:* «A menudo escucho que os referís al hombre que comete un delito como si no fuera uno de vosotros, como un extraño y un intruso en vuestro mundo. Mas yo os digo que de igual forma que el más santo no puede elevarse por encima de lo más sublime que existe en cada uno de vosotros, tampoco el peor malvado puede caer más bajo de lo más bajo que existe en cada uno de vosotros. Y de igual forma que ni una sola hoja se torna amarilla sin el conocimiento silencioso del árbol, tampoco el malvado puede hacer el mal sin la oculta voluntad de todos vosotros».

En este clima de oscuridad, tensión e incertidumbre, los funerales que se celebraban cada día en memoria de los muertos se convirtieron en actos cotidianos de profunda solidaridad. Conscientes de la importancia de aliviar el sentimiento de soledad y de indefensión, miles de neoyorquinos se detenían diariamente unos minutos para coserse unos a otros y unirse a través de rezos, cantos, flores o velas de llama vacilante, en recuerdo de los desaparecidos. En el fondo, reproducían los mismos ritos que los hombres y las mujeres han representado ante las desgracias desde los albores de nuestra historia.

En los momentos límite afloran los vínculos y desaparecen las diferencias entre nosotros. Somos humanos, así que ante una catástrofe pensamos primero en los seres más próximos, en los que más queremos. Instintivamente volcamos nuestra energía en asegurarnos de que los nuestros están a salvo. Pero la compasión y la empatía que nos hace situarnos con afecto en las circunstancias penosas de otras personas forman una onda expansiva que abre de par en par las puertas de nuestro pequeño entorno. Por eso nos afligimos por los demás, aunque no los conozcamos, y hasta por los desaparecidos que nunca llegaremos a ver ni a querer. Nos apesadumbramos por los familiares, amigos, esposas, maridos e hijos de otros. Nos dolemos por los que han sufrido incapacidades, por los que pierden sus hogares, sus posesiones, sus trabajos. Y también nos apenamos por la ciudad que nos acoge y amamos, cuyo rostro ha sido desfigurado para siempre.

Ciudad marcada

El 11-S Nueva York se convirtió en el triste centro de atención del mundo. No obstante, durante meses los ciudadanos nos sentimos aislados como células de un tumor cancerígeno. Miles de teléfonos no funcionaban, mientras que las calles, los puentes, los túneles, las estaciones y los aeropuertos estaban controlados por soldados en uniforme de campaña, armados con metralletas. Como les ocurrió a tantos neoyorquinos, por primera vez me cuestioné las razones que hasta ahora habían justificado mi presencia allí, me pregunté por qué vivía donde vivía, por qué en el barrio de Manhattan, por qué en Nueva York, por qué en Estados Unidos. En este apartado de mi vida, hasta entonces había tenido más respuestas que preguntas, ahora tenía muchas preguntas sin respuesta.

Nueva York, tan entrañable para mí, es una ciudad a la que solo le tengo cariño y agradecimiento por haberme recibido y aceptado sin conocerme, hace treinta y cinco años. Es una ciudad que se hace querer. O como dicen algunos, «o la quieres o la odias, pero nunca te resulta indiferente».

Comparada con otras grandes urbes del mundo, Nueva York está todavía en su infancia. Al fin y al cabo, su fecha de nacimiento, 1626, cuando los colonizadores holandeses compraron la isla de Manhattan a los indios nativos por 60 florines, no está tan lejos en la historia. Su marcada personalidad la ha convertido, sin embargo, en una ciudad mítica.

Bautizada cariñosamente con el sobrenombre de Gran Manzana, Nueva York es un mosaico humano formado por un pueblo multicultural y multirracial de ocho millones de residentes, de los que casi la mitad somos inmigrantes, y otros tantos millones de trabajadores que viven en las afueras, sin contar los miles de visitantes que acuden a diario de todo el globo. Resulta curioso que a pesar de estar expuestos continuamente a fuerzas sociales y económicas muy poderosas, a dimensiones exageradas y a grandes contrastes, los neoyorquinos ven su ciudad con una cierta inocencia y no son conscientes de los potentes símbolos universales que destella. La mayoría vive en el ambiente familiar de comunidades pequeñas y autosuficientes, y no necesitan andar más de un par de manzanas para satisfacer sus necesidades cotidianas.

Como indica la cita que encabeza este capítulo, hace más de medio siglo el escritor neoyorquino y premio Pulitzer Elwyn B. White, ya predijo con una certeza escalofriante una catástrofe como la del 11-S. Aunque dada la «guerra fría» y la preocupación de aquellos tiempos, este ensayista probablemente tenía en su mente un ataque nuclear de la Unión Soviética y no un acto terrorista de grupos extremistas islámicos de Oriente Próximo, sus acertados augurios ponen los pelos de punta. Según White, en la mente de cualquier soñador perverso decidido a dar rienda suelta a sus rayos de odio y anhelos de grandiosidad, la Gran Manzana tiene un atractivo irresistible, por su concentración de habitantes, porque es mundialmente visible y por todo lo que representa.

Nadie duda que los fanáticos suicidas que estrellaron los aviones repletos de pasajeros y carburante contra las Torres Gemelas tenían a Nueva York en la mirilla. Eran conscientes de que, atacando a una ciudad universal, harían temblar al mundo entero. Desde España a Corea del Sur, desde México a Australia y desde Argentina a Dinamarca, familiares y amistades de desaparecidos en los ataques se mantuvieron en vela durante semanas, angustiados, pegados al televisor o agarrados al teléfono, intentando saber el paradero de sus seres queridos. La lista final de casi tres mil muertos incluye a hombres, mujeres y niños oriundos de ciento veinticinco países.

Mucho antes de ser inauguradas oficialmente en 1973, los impresionantes y armoniosos perfiles de las Torres Gemelas ya dominaban el cielo con sus ciento diez pisos, como gigantescas colmenas plateadas. Su presencia era tan imponente que desde lejos daba la sensación de que la ciudad entera se inclinaba ante ellas. Es verdad que nunca faltaron críticos que las encontraban demasiado grandes e intimidantes, o que consideraban el hecho de que fuesen dos la prueba más insultante de una cultura materialista, plagada de excesos y desmesuras. Aun así, las Torres Gemelas configuraban un estimulante emblema, en palabras de su arquitecto, el japonés Minoru Yamasaki, «una representación de la fe en la humanidad y la dignidad individual, la cooperación entre los hombres y su aspiración a la grandeza». Verdaderamente, a muchos que podíamos verlas a diario nos recordaban que estábamos en el paraíso de las aspiraciones y de las oportunidades.

Ahora, nadie puede mirar al contorno del horizonte sin sentir escalofríos. Tanto para sus admiradores como para sus detractores, la mera evocación de las Torres Gemelas, pulverizadas y transformadas en una enorme sepultura en ciento dos minutos, genera sentimientos de pérdida y de tristeza insoportables.

Se ha dicho que Nueva York es una ciudad dispuesta a absorber cualquier cosa, pues sus habitantes gozan del poder para crear sus propias imágenes, algo que les permite proteger su alma. Es cierto que, en este pueblo, cualquier atrocidad puede ser moldeada en una experiencia virtual, casi siempre televisiva, apta para todos los públicos. Pero en esta ocasión no fue así. El 11-S ningún neoyorquino pudo adaptar la trama macabra a sus normas de estilo y salvar su alma de la agonía que causaron dos aviones comerciales transformados en misiles asesinos. Nadie se libró de respirar el aire saturado de polvo, humo y también de cenizas de carne humana. Hoy todos sabemos a qué huele la muerte real, qué es el miedo y a qué extremos puede llegar el sufrimiento humano.

Cierto es que la fila de ataúdes ha sido muy larga y, al pasar, ha dejado un rastro pegajoso de melancolía, indefensión y rabia. Después de los diez meses que pasamos enterrando a nuestros muertos, los vacíos que dejaron quienes fueron asaltados y despojados violentamente de sus vidas definen en gran medida quiénes somos los que nos libramos de morir.

Mas, si bien el espíritu de la ciudad se doblegó y resquebrajó, nunca se hundió. Por definición, el verdadero heroísmo es una cualidad de pocos. No obstante, en esta tragedia, los ciudadanos corrientes reaccionaron con admirable entereza y con una generosidad magnánima. Recordemos cómo a los pocos minutos de que los terroristas explotaran los aviones comerciales contra las Torres Gemelas dos ríos humanos se cruzaban apretujados en las escaleras de emergencia de los rascacielos en llamas. Mientras una procesión de hombres y mujeres aterrorizados bajaba en busca de la puerta de la salvación, cientos de bomberos audaces y desinteresados subían por las mismas escaleras empeñados en liberar a las víctimas de aquel infierno, y desaparecían para siempre. Y en las siguientes horas, al mismo tiempo que miles de criaturas morían en el escenario del horror incineradas o aplastadas, ante las puertas de los hospitales de la ciudad se apiñaba una multitud ingente, exigiendo la oportunidad de donar su sangre para los heridos o impartir consuelo a los damnificados.

Aquella trágica mañana cristalina del martes 11 de septiembre de 2001, que nos cambió a tantos para siempre, me hace recordar, una vez más, el pasaje del diario de Ana Frank en el que la pequeña alemana de quince años, en vísperas de morir en el campo de concentración nazi de Belgen-Belsen, en marzo de 1945, escribió aquello de: «A pesar de todo, creo que la gente es realmente buena en su corazón».

Al final, el fulgor deslumbrante de la bondad, la solidaridad y el altruismo humanos nos iluminó como no lo había hecho nunca. Y esta luz se convirtió en el signo más seguro y esperanzador de que algún día lograríamos superar el profundo trauma.

2
TRAUMA Y SUPERACIÓN

«La verdad no tolera que nos acerquemos a ella
con demasiada intensidad.»

WYSTAN H. AUDEN, *Viaje a una guerra,* 1939

Capítulos enteros de nuestra historia están escritos
con sangre y lágrimas. La literatura, el teatro, la pintu-
ra e incluso la música se han ocupado tradicionalmente
de representar nuestras actitudes y comportamientos
ante las tragedias. La ciencia, sin embargo, un poco
más rezagada en esa mirada interior, no se ha plantea-
do el estudio riguroso sobre el impacto psicológico de
las experiencias límite hasta hace poco tiempo. Sospecho que el motivo de este retraso ha sido el cumpli-

miento de una escala de prioridades. Hemos tenido que esperar a que las epidemias y el hambre dejasen de borrar del mapa con despiadada regularidad a millones de personas. Solo entonces se han permitido los científicos abordar metódicamente la investigación sobre los perjuicios que causan a nuestro equilibrio mental los arrebatos de la naturaleza y la crueldad humana.

HERIDAS DEL TERROR

Tan reciente es el estudio del trauma que el diagnóstico del *estrés postraumático,* emblema de la alteración mental que se desencadena cuando nos exponemos a una situación extrema de terror, no fue introducido en el catálogo oficial de males psiquiátricos hasta 1980. La lista de los síntomas más típicos de este trastorno incluye el bombardeo incontrolable de la mente con escenas estremecedoras de la experiencia traumática, las pesadillas, el estado de alerta constante, la tensión nerviosa y las conductas que tratan de evadir la memoria de lo sucedido. Los especialistas hablan de estrés postraumático *agudo* cuando la duración de los síntomas es menor de tres meses, *crónico* si se prolonga más, y *de comienzo tardío* si el cuadro aparece seis meses o más después de los sucesos.

El 8 por 100 de los estadounidenses sufre en algún momento de su vida estrés postraumático. En Europa, la incidencia de esta enfermedad es algo menor, excepto en los países que formaban la antigua Yugoslavia, donde recientemente se han producido sangrientos enfrentamientos nacionalistas y exterminios étnicos. En este caso concreto, el índice de trauma alcanza al 22 por 100 de la población. En Latinoamérica, la proporción de personas que padece de síntomas de trauma psicológico oscila entre el 6 y el 12 por 100, dependiendo de la estabilidad social, económica y política de cada país. La frecuencia de este mal entre las mujeres es casi el doble que en los hombres.

El trauma psicológico nos sitúa frente al grandioso poder de las fuerzas naturales, revelándonos nuestra fragilidad ante ellas. A la vez, nos encara con las partes más sombrías y mezquinas del alma del ser humano: la violencia, la crueldad, el sadismo y la indiferencia hacia el dolor ajeno.

Otra cara del trauma, sin embargo, corrobora que hombres y mujeres debemos nuestra posición de privilegio en el reino animal a la extraordinaria capacidad de adaptación y superación que poseemos. A lo largo de cientos de milenios de evolución, nuestra especie ha sobrevivido a terribles adversidades con una entereza y un ingenio asombrosos. Muchos desafortunados que pierden para siempre facultades importantes por causa de alguna desgracia acaban casi siempre recuperando su cota original de dicha tras un período de ajuste. Así lo confirma una reciente investigación de Robert Sheridan y varios colegas de la Universidad de Harvard, en la que participaron sesenta niños y niñas menores de catorce años, que sufrieron quemaduras en el 70 por 100 de su cuerpo y deformaciones imposibles de corregir. El grado de satisfacción con la vida que sentían estos pequeños era, dos años después de su accidente, muy similar al de otro grupo de criaturas sin problemas físicos. Más de la mitad de estas víctimas lograron con el tiempo transformar su tragedia en energía creadora y enriquecieron sus vidas adultas con actividades sociales útiles y gratificantes.

A pesar de nuestra sorprendente capacidad para recuperarnos emocionalmente de las coyunturas más aterradoras, hay experiencias tan extremas, y sus penosos recuerdos tan indelebles, que se entretejen inseparablemente con el funcionamiento de nuestro sistema nervioso. La huella de estas calamidades moldea nuestra percepción del mundo, socava nuestra capacidad de entusiasmo, altera nuestra personalidad y arruina nuestras probabilidades de sentirnos dichosos.

La gama de sucesos que pueden conmocionarnos, horrorizarnos, desbordarnos y, en definitiva, traumatizarnos es muy amplia y diversa. Según su origen, los podemos dividir en desastres naturales, como terremotos, huracanes, inundaciones, sequías y escasez de alimentos; atrocidades cometidas intencionadamente por personas, como torturas, guerras, secuestros, violaciones sexuales, malos tratos en el ámbito familiar o agresiones físicas y mentales; y percances imprevistos, como los accidentes graves o fatales, los incendios y las enfermedades incapacitadoras o incurables.

De estos tres tipos de experiencias traumáticas, la violencia humana intencional es la que provoca daños psicológicos más serios y duraderos. Por ejemplo, mientras el 55 por 100 de las personas que denuncian agresiones sádicas padecen síntomas de estrés postraumático, solo el 14 por 100 de los individuos a quienes se les muere de repente un ser querido, el 8 por 100 de las víctimas de accidentes graves y el 5 por 100 de los damnificados en desastres naturales los sufren. Pienso que la violencia entre las personas es mucho más traumática que las calamidades naturales o los percances fortuitos, porque no forma parte de lo que esperamos en general de nuestros compañeros de vida, y contradice los principios que dan sentido a la existencia. Ninguna sociedad puede sobrevivir sin que sus miembros convivan la mayor parte del tiempo en armonía y ayudándose unos a otros.

Ejemplos de que la resistencia humana frente a situaciones abrumadoras de horror tiene un límite, en particular si están causadas a propósito por nuestros semejantes, abundan en las investigaciones sobre las consecuencias de la violación sexual. Estos estudios revelan que la invasión del cuerpo por la fuerza descompensa gravemente el equilibrio físico y emocional de la persona. El peligro, el agravio y el tormento de la violación se perpetúan en la mente de la víctima a través de pesadillas aterradoras y de imágenes muy vívidas y fuertes de los detalles del asalto degradante. Las estadísticas señalan que entre las mujeres agredidas que tienen que ser hospitalizadas, una de cada cuatro sufre insomnio, miedos nocturnos, cansancio crónico y depresión seis años después del ataque. Aunque la violación es mucho menos frecuente en los varones, la probabilidad de padecer estrés postraumático de los hombres violados es más alta que la de las mujeres. Esta diferencia entre los sexos sugiere que el impacto emocional de una experiencia traumática concreta varía de persona a persona y depende de factores biológicos, psicológicos y sociales.

Existe un importante estudio sobre el impacto de los ataques terroristas, de los encarcelamientos políticos y de las torturas y masacres en varios países que ilustra la variabilidad de los daños que ocasionan las experiencias traumáticas en las personas. Lo dirigió el doctor holandés Joop de Jong con un grupo de investigadores internacionales de la Organización Mundial de la Salud, entre 1997 y 1999. Los resultados indican que la proporción de habitantes que sufren síntomas de estrés postraumático en Argelia alcanza el 37 por 100; en Camboya, el 28 por 100; en Etiopía, el 16 por 100, y en Palestina el 18 por 100. Como ocurre con los efectos de la violación en mujeres y hombres, las diferentes proporciones de estrés postraumático entre las poblaciones de estos pueblos reflejan el hecho de que el perjuicio psicológico que produce el terror depende de la naturaleza, la intensidad y la duración de la situación traumática; la personalidad y el estado emocional de las víctimas, y el nivel de comprensión, apoyo y recursos que reciben de la sociedad.

La interpretación subjetiva que los afectados dan a los acontecimientos vividos juega también un papel fundamental en la intensidad de su impacto emocional. Por eso, los efectos psicológicos de una catástrofe no solo varían de un individuo a otro, sino que pueden cambiar en una misma persona si esta adquiere nuevos conocimientos sobre los sucesos. Por ejemplo, cuando se difundió la noticia de que varios pasajeros del avión secuestrado que se había estrellado en un campo de Pensilvania el 11-S intentaron valientemente detener por la fuerza a los terroristas, el carácter de héroes admirables que adquirieron por su última hazaña se convirtió en fuente de consuelo y alivio para sus traumatizados familiares.

Las guerras constituyen otro ejemplo de las nefastas consecuencias de ciertas experiencias que desbordan la capacidad humana de soportar atrocidades. Una comparación de siete mil veteranos de la guerra del Vietnam con otro grupo de hombres que no pasó por la experiencia del frente demostró que los combatientes tenían casi el triple de posibilidades de padecer depresión, alcoholismo y suicidio. Estos soldados traumatizados eran también más propensos a provocar y sufrir conflictos violentos en el ámbito doméstico, y hasta sus hijos mostraban más problemas de conducta y dificultades escolares que el resto de los niños. Los trastornos derivados del contacto con el horror a menudo socavan la calidad de vida, no solo de los individuos directamente afectados, sino también de sus afines.

El 11-S constituyó una combinación especialmente maligna de violencia humana y cataclismo. Además de las tres mil víctimas que perdieron la vida, fueron muchos los supervivientes que resultaron afectados por la catástrofe de una u otra forma. Decenas de miles de ciudadanos huyeron despavoridos para salvar su vida, otros fueron testigos presenciales de macabras escenas de muerte o perdieron a algún ser querido en el siniestro. Se calcula que más de cien mil hombres y mujeres contemplaron el suceso en persona, y muchos millones de televidentes fueron expuestos a las imágenes horripilantes que, de forma reiterada, se emitieron durante horas en todo el mundo a través de los canales de televisión por satélite. Como consecuencia de los daños colaterales que se produjeron, unas cuatro mil familias se quedaron en la calle o fueron desplazadas de sus hogares durante meses. Numerosas empresas quebraron o suspendieron sus actividades y cientos de pequeños negocios desaparecieron, con la pérdida consiguiente de más de ciento treinta mil puestos de trabajo.

Cuando el cadáver o los restos de las víctimas que perecen en los grandes desastres no son hallados —como ocurrió con el 60 por 100 de los muertos el 11-S— los supervivientes se enfrentan a una prueba singularmente cruel: superar la terrible pérdida de un ser querido sin ninguna prueba tangible de su final. En estos casos el duelo se convierte en un calvario interminable.

La experiencia de ver salir de casa a una persona querida por la mañana para nunca más volver a ver ni rastro de ella, es profundamente penosa y desconcertante. Si además la muerte ocurre en circunstancias desconocidas, el impacto en los familiares es aún más nocivo, pues este gran misterio crea en ellos un vacío intolerable que retrasa considerablemente la cicatrización de la herida. Por ejemplo, muchos de los parientes y amigos de las víctimas del 11-S todavía viven consumidos por la duda, angustiados, sin respuestas. Ignoran si la muerte de su padre, de su hermana, de su esposa o de su hijo fue instantánea o lenta, si sufrieron o no una agonía lacerante, si estaban solos o acompañados, si sabían que iban a morir o el final les cogió por sorpresa. Basándose en estos aspectos particularmente nocivos del 11-S, los expertos pronostican que alrededor del 30 por 100 de las personas expuestas a la destrucción de las Torres Gemelas sufrirán algún síntoma de trauma emocional durante los próximos veinte años.

En las catástrofes, los síntomas de trauma psicológico más graves suelen afectar a los individuos que viven personalmente los sucesos o que como consecuencia sufren alguna pérdida. Sin embargo, una investigación sobre el impacto del 11-S llevada a cabo por el equipo del profesor Mark A. Schuster, de la Universidad de California, demuestra que no es necesario haber vivido el siniestro en persona para sufrir daños emocionales, especialmente si uno se identifica con las víctimas o considera que podía haber sido una de ellas. Según este estudio, nueve de cada diez adultos estadounidenses manifestaban algún signo de estrés relacionado con el 11-S el fin de semana siguiente al desastre. Casi la mitad padecía síntomas serios de trauma psicológico, como llanto incontrolable, insomio, recuerdos aterradores de lo sucedido o incapacidad para concentrarse.

Por otra parte, este mismo estudio reveló que cuanto más tiempo estuvieron las personas absorbiendo las escenas televisadas del drama, más altas fueron sus probabilidades de padecer síntomas de trauma, sobre todo en el caso de telespectadores infantiles. En este sentido, un 47 por 100 de los padres entrevistados indicaron que sus hijos, entre cinco y dieciocho años, tenían dificultad para conciliar el sueño y temían por su seguridad o la de sus seres queridos.

Los niños son muy sensibles al terror, aunque solo recientemente se ha empezado a reconocer la envergadura real del problema de las criaturas traumatizadas. La razón es que hasta principios del siglo pasado las necesidades emocionales de los pequeños eran tan desconocidas como ignoradas. El punto de partida fue la descripción en 1961 del llamado «síndrome del niño maltratado» o los daños físicos y emocionales que ocasionaban los malos tratos infantiles en el hogar familiar. Los niños expuestos a situaciones abrumadoras de violencia o de terror sufren síntomas de trauma parecidos a los adultos, pero tienen más dificultad a la hora de expresar sus sentimientos y de comprender los sucesos.

Los niños a menudo tienden a culparse a sí mismos, directa o indirectamente, de la tragedia. En el caso de 11-S, el impacto en la mente de los pequeños neoyorquinos fue profundo, a pesar de que se implementaron inmediatamente estrategias preventivas en el sistema escolar, en colaboración con las familias. Un estudio llevado a cabo por un grupo de psicólogos de la Escuela de Salud Pública de la Universidad de Columbia en colaboración con el Gobierno, en el que entrevistaron personalmente a ocho mil trescientos escolares entre diez y dieciocho años de edad, reveló que seis meses después de los ataques, el 76 por 100 de los pequeños todavía pensaba regularmente sobre lo ocurrido, el 45 por 100 hacía esfuerzos para no hablar de sus recuerdos y el 24 por 100 tenía pesadillas.

Otro grupo especialmente vulnerable a las situaciones de terror son las personas que ya han sufrido un trauma en su vida. Está demostrado que quienes han sido traumatizados una vez, se hacen hipersensibles a situaciones estresantes y a nuevas amenazas. Investigaciones llevadas a cabo en Alemania por Christine Heim y en Estados Unidos por Charles Nemeroff revelan, por ejemplo, que los adultos que en su infancia sufrieron un trauma psicológico a causa de haber sido maltratados en el hogar familiar, responden exageradamente a circunstancias de mínima tensión, tienen un pulso más rápido y segregan cantidades seis veces más altas de hormonas reguladoras de estrés, como el cortisol y la adrenocorticotropina.

El historial de trauma como factor que aumenta la vulnerabilidad a episodios sucesivos fue confirmado entre las víctimas del 11-S por un equipo de investigadores encabezado por el doctor Sandro Galea, profesor del Departamento de Salud Pública de la Universidad de Columbia de Nueva York. Galea detectó que un mes después de los ataques, el 42 por 100 de un grupo representativo de neoyorquinos que habían sufrido otras experiencias traumáticas con anterioridad al 11-S, manifestaba síntomas de estrés postraumático o depresión, de por lo menos dos semanas de duración. Por el contrario, entre quienes no habían experimentado un previo trauma, el porcentaje era el 10 por 100.

La amenaza contra la integridad física o la vida nos hace a los seres humanos muy vulnerables. Presos de la inseguridad, la angustia, la impotencia, la desorientación y el terror, vemos minada nuestra capacidad de pensar con claridad, de concentrarnos o de tomar decisiones. Reestablecer la sensación de seguridad física y el control sobre la propia vida es, por lo tanto, un requisito indispensable para que las personas puedan realmente superar un estado de trauma. Sin un sentimiento al menos moderado de seguridad, la recuperación es imposible. El 11-S ilustra cómo la incertidumbre creada por los episodios de ántrax, por la guerra en Afganistán, por el ensañamiento del conflicto de Oriente Próximo y por las confusas y vagas advertencias periódicas, diseminadas por los líderes políticos nacionales, del peligro inminente de nuevos atentados, dificultaron la restauración de la confianza en los ciudadanos.

En tiempos de inseguridad y de pánico, la información más beneficiosa que pueden comunicar los gobernantes es la que separa claramente hechos reales y datos conocidos de especulaciones y temores dudosos. La información es reparadora y útil si explica las medidas de protección que el Gobierno está tomando, junto a las recomendaciones y consejos pertinentes que ayudan a la gente a reducir las probabilidades de sufrir daños en caso de un nuevo ataque. Los sentimientos de indefensión se atenúan y las personas se sienten más dueñas del propio destino cuando adoptan por su cuenta medidas preventivas. En las grandes crisis, los líderes políticos pueden amortiguar el desconcierto, el aislamiento y el miedo del pueblo si establecen y mantienen abiertas fuentes fiables de información pública, y aceleran la normalización de los aspectos más esenciales de la vida cotidiana: la provisión de alimentos, la vivienda, la comunicación y la libertad de movimientos. Con todo, al final, solo el pacífico paso del tiempo sin el sobresalto de nuevos ataques ni amenazas es lo que verdaderamente permite que resurjan en los ciudadanos la tranquilidad y la esperanza.

LA SEGURIDAD DEL OLVIDO

Pasado el peligro inmediato, las imágenes más espeluznantes del suceso se entrometen en la vida diaria de los afectados y forman la trama de pesadillas que alteran su sueño o los mantienen despiertos. Es normal que se sientan agotados, tristes, tensos e irritables; que se mantengan alerta, incapaces de relajarse, como si el peligro estuviese latente y pudiese retornar en cualquier momento. En los traumas que envuelven a grupos de personas es igualmente habitual que las más afortunadas se reprochen o se culpabilicen por haber sobrevivido mientras otras, en circunstancias parecidas, sufrieron daños más graves o incluso perecieron. También es común la tendencia a cambiar la rutina cotidiana con el propósito de evadir los estímulos que puedan traer a la memoria las circunstancias aterradoras vividas. Con el fin de olvidar, no pocos incluso desarrollan fobias temporales a situaciones, lugares u objetos asociados con la experiencia dolorosa. Muchas víctimas del 11-S cambiaron su estilo de vida: desde dejar de ponerse el reloj que llevaban el día del desastre hasta cambiar de lugar de residencia. Se calcula que por lo menos unos cincuenta mil neoyorquinos, en su mayoría familias con hijos pequeños, se mudaron a áreas rurales lejos de la ciudad en las semanas siguientes al ataque. El miedo provocó que las líneas aéreas perdieran miles de clientes precavidos, y en las estafetas de correos se acumularon montañas de cartas que nunca fueron abiertas por sus destinatarios, temerosos de infectarse de ántrax.

Entre las tácticas más frecuentes de evasión de los recuerdos penosos hay que incluir el uso de tranquilizantes, el consumo de alcohol o drogas con el propósito de embotar la conciencia, aliviar la angustia, escaparse o dormir profundamente sin soñar. No pocas víctimas de trauma temen dar rienda suelta a su propia fantasía, por miedo a no poder controlar la imaginación y terminar reviviendo los sucesos.

En mi caso particular, la reacción automática para «olvidarme» de las horribles escenas que había vivido fue sumergirme de lleno en el trabajo. Tras el 11-S me volqué en dos tareas: expandir los servicios de salud mental en la ciudad con el fin de atender a todos los que solicitaran ayuda psicológica, y organizar grupos de apoyo para los 43.000 empleados del sistema de hospitales públicos de Nueva York, que yo entonces dirigía. Muchos miembros del personal sanitario se encontraban seriamente afectados por la tragedia. Unos, porque habían perdido a algún ser querido o por haber vivido la catástrofe de cerca; otros, por el impacto emocional que les producía cuidar a las víctimas o atender a los rescatadores que se lesionaban.

Así pues, decidí visitar personalmente los quince hospitales que componen el sistema y reunirme con los empleados. Recuerdo que en estas visitas, mientras era yo quien preguntaba, escuchaba o animaba a los presentes, me sentía tranquilo, con el control de la situación y de mis emociones. Todo fue bien hasta el día en que visité el Hospital Kings County, unas dos semanas después del atentado.

Kings County, uno de los hospitales públicos más grandes de la ciudad, está situado en una zona bastante pobre del barrio de Brooklyn. La reunión con los empleados tuvo lugar en un edificio contiguo al hospital que medio siglo atrás había sido una iglesia. Era un recinto de gruesos muros de piedra que apenas dejaban pasar una tenue luz a través de unas estrechas cristaleras, lo que creaba un ambiente que infundía recogimiento y paz. Había en la sala unas cuatrocientas personas en silencio, una mayoría de rostros con expresión apenada. Como en mis anteriores intercambios, me dirigí a ellos con palabras de aliento y admiración por la abnegada labor que estaban desempeñando en aquellos días de dolor. A continuación les pregunté si había algo que yo, como director del sistema de hospitales, pudiera hacer para facilitar su trabajo y aliviar su aflicción. De repente, una enfermera de unos sesenta años, con aspecto maternal, eludiendo mi pregunta, me interpeló con voz firme que revelaba preocupación: «Y usted, doctor Marcos, ¿cómo se siente?». Aquella sencilla interrogante actuó como una palanca que abrió la caja de truenos que, sin ser consciente de ello, yo llevaba dentro. Súbitamente, una cascada incontenible de las dramáticas imágenes que había vivido la mañana del 11 de septiembre invadió mi mente, y mi cuerpo se conmovió por dentro, como si las escenas estuviesen ocurriendo allí mismo. Abrumado, enmudecí, dejé sin contestar la pregunta y, por primera vez, lloré en silencio.

En la tarde de ese mismo día, recibí por sorpresa una llamada de Martin Kesselman, viejo amigo y jefe de psiquiatría del Hospital Kings County.

—«Luis —me dijo con afecto—: en casa del herrero, cuchillo de palo.»

—«Tienes razón, como psiquiatras aprendemos a ver los signos de trauma en otras personas pero no los reconocemos en nosotros mismos» —le contesté.

Y seguidamente hablamos largo y tendido. Después me enteré de que algunos empleados del hospital, al ver mi reacción a la pregunta de la enfermera, habían sugerido a Martin que me echara una mano, y así lo hizo.

Tratar de eludir, reprimir, negar, anestesiar o disfrazar la realidad intolerable para mantener el equilibrio emocional y la coherencia social es una reacción protectora natural. Todos los seres humanos utilizamos mecanismos de defensa con el fin de excluir de la conciencia y enterrar en el olvido recuerdos penosos. No obstante, los resultados a largo plazo de estas defensas después de una experiencia traumática no son siempre beneficiosos, pues recuerdos reprimidos pueden producir síntomas de angustia y depresión y enlentecer el proceso de recuperación. Además, los comportamientos evasivos, fóbicos o el abuso de alcohol o drogas terminan limitando las actividades gratificantes y aislando a la persona física y emocionalmente de los demás, precisamente en los momentos en los que más necesita apoyo, aliento y consuelo.

Es de esperar que los individuos que viven una situación traumática padezcan agudos síntomas de estrés durante unas semanas. Esta expectativa, sin embargo, no evita que muchos de los afectados se asusten y hasta teman estar perdiendo la cabeza. Por eso, una intervención educativa muy útil consiste en aclarar a los afligidos que los síntomas que sienten no significan locura, sino todo lo contrario: «la respuesta normal a una situación anormal». Validar la realidad de los sucesos y legitimar sus efectos en la persona tranquiliza y facilita la superación del trauma. La persistencia vívida, obsesiva e incontrolable de las escenas de horror durante más de un mes, y la incapacidad de integrar la experiencia estremecedora con el resto de la vida, son indicadores preocupantes de la posibilidad de que los efectos paralizantes del trauma se prolonguen o se hagan crónicos.

Para entender el enorme poder de los recuerdos traumáticos, nos ayuda saber que nuestra memoria no es un microprocesador frío, en el que almacenamos ordenadamente datos o imprimimos la realidad literal, como fotografías en un álbum de familia. Por el contrario, esta potencia del alma depende de una masa de células vivas en las que registramos no solo cifras y sucesos concretos, sino nuestras interpretaciones subjetivas de los hechos y los sentimientos y emociones que los acompañan. Por eso los recuerdos nos hacen llorar y temblar, moldean nuestra personalidad y determinan cómo abordamos la vida diaria. Las reminiscencias pasadas configuran nuestro presente.

Otro punto importante a considerar es que las personas mantenemos desde la infancia dos memorias, una emocional y otra verbal. La memoria emocional se

encarga de almacenar las imágenes de horror, los sentimientos más intensos y abrumadores y las sensaciones
corporales fuertes vinculadas a experiencias angustio-
sas de peligro. La memoria emocional no se manifiesta
con palabras, sino con fogonazos de las escenas aterradoras, con emociones, pesadillas y evocaciones de miedo. La memoria verbal es la que utilizamos habitual-
mente para retener información. Se expresa con
palabras y es el método más coherente y organizado de
captar, guardar y recordar las vicisitudes de nuestra
vida. Estas dos memorias son independientes y se loca-
lizan en partes diferentes del cerebro.

Normalmente utilizamos la memoria verbal y re-
cordamos los sucesos pasados como historias que forman parte del guión total de nuestra biografía. Son experiencias que, poco a poco, han ido perdiendo su
intensidad emocional. Sin embargo, los recuerdos traumáticos que se guardan en la memoria emocional no
cambian, su vigor no se marchita con el paso del tiempo, conservan una identidad propia e independiente, y
al rememorarlos, revivimos la experiencia abrumadora
pasada como si estuviera ocurriendo en el presente.
Quizá por eso, cuando el famoso psiquiatra francés
Jean-Martin Charcot describió por primera vez los recuerdos traumáticos, hace casi ciento veinte años, los
llamó «parásitos de la mente».

Un estudio sobre la memoria de doscientos soldados estadounidenses que lucharon en la Segunda Guerra Mundial ilustra este punto. Todos fueron entrevistados sobre sus experiencias en el campo de batalla al volver del frente y, por segunda vez, cuarenta y cinco años más tarde. Los veteranos que no sufrieron estrés postraumático daban en su segunda entrevista versiones de sus experiencias diferentes y menos expresivas que las que habían ofrecido en su primera descripción. Los aspectos más horrorosos de las situaciones vividas se habían diluido con el tiempo. Como contraste, el transcurso de casi medio siglo no modificó el contenido ni la fuerza emocional de las memorias del grupo de excombatientes que sí habían sido traumatizados por la guerra.

Investigaciones sobre la neuroquímica de los recuerdos indican que la adrenalina —una sustancia producida en abundancia por las glándulas suprarrenales durante situaciones de alto estrés o de terror— facilita la retención de las escenas espeluznantes y la fijación de las sensaciones que las acompañan en la memoria emocional. Las víctimas de trauma experimentan cambios en la bioquímica del cerebro que además de estimular su memoria emocional las predisponen a la disociación y compartimentación de la personalidad y, en algunos casos, a la creación de múltiples personalidades.

Muchos rescatadores que acudieron al siniestro de las Torres Gemelas en los primeros momentos, a quienes tuve la oportunidad de escuchar personalmente, se enfrentaron con un dilema que era emocionalmente insalvable: intentar sobrevivir en un ambiente caótico, impredecible, altamente peligroso y de total indefensión, y, simultáneamente, encontrar la forma de mantener el dominio de sí mismos y desempeñar su trabajo. Sometidos a fuerzas agobiantes, incapaces de protegerse o de eludir el riesgo, con sus cerebros inundados de adrenalina, se convirtieron en autómatas, se desconectaron del mundo circundante y se distanciaron de la realidad hasta disociarse y perder el sentido de quiénes eran y qué hacían. Una vez fuera de peligro y recuperado el nivel habitual de raciocinio, algunos se ahogaron en un mar de dudas sobre su comportamiento. Entre los bomberos que sobrevivieron de milagro al colapso del World Trade Center hay quien se obsesiona todavía preguntándose con angustia: «¿Corrí hacia el fuego o huí hacia la salida?», «¿Me impulsó el valor o me dominó el pánico?», «¿Me comporté como un héroe o como un cobarde?».

Hasta los héroes necesitan hablar

Recordar, ordenar y verbalizar los acontecimientos vividos en un ambiente comprensivo y seguro, pese a que produzca ansiedad y tristeza, permite transformar poco a poco las imágenes de terror, las evocaciones confusas y las sensaciones intensas acumuladas en la memoria emocional, en recuerdos más manejables situados con coherencia en el tiempo y en el espacio, bajo el control de la memoria verbal. Un fragmento doloroso, pero al fin y al cabo uno más de la vida, puede incorporarse así al resto de nuestra biografía, al flujo total de nuestra existencia.

Al relatar y describir las imágenes de horror acumuladas en la memoria emocional las trasladamos a la memoria verbal y minimizamos la posibilidad de que se enquisten o de que provoquen la disociación de nuestra personalidad, lo que derivaría en una larga dolencia mental. Cuantas más veces narramos los sucesos traumáticos, más fuerza pierden y menos posibilidades tienen de dañarnos emocionalmente a largo plazo. Con el tiempo y la repetición, muchas víctimas de trauma reciclan la experiencia devastadora hasta convertirla en una narración comprensible, persuasiva, llevadera e incluso entretenida para los demás.

Por estas razones, es aconsejable animar a las víctimas de trauma a que compartan la experiencia vivida con sus seres queridos y personas de su confianza o, si se sienten cómodas, con grupos establecidos con ese fin, siempre que estos estén bajo la supervisión de especialistas. La narrativa es una forma saludable de organizar los pensamientos, de quitarles intensidad emocional y de aplacar el propio miedo. No obstante, siempre hay que respetar los deseos de cada uno y no presionar a nadie a que se abra prematuramente si no se siente seguro o preparado. De lo contrario nos arriesgamos a desencadenar más confusión y ansiedad en la persona.

Como aconsejaba con perspicacia el psiquiatra español y buen amigo Manuel Trujillo, jefe de psiquiatría del Hospital Bellevue, a los pocos días de los ataques, «lo mejor que podemos hacer los psiquiatras en estas graves circunstancias es danzar con cuidado alrededor de los afligidos hasta coger su compás y escuchar la melodía con la que nos indican que están listos para hablar». El objetivo terapéutico es que los individuos abrumados o traumatizados por los acontecimientos vayan, a su propio ritmo, entendiendo y asimilando la realidad de lo que les ha ocurrido, no que experimenten el trauma por segunda vez.

Parte del trabajo que desarrollamos en los hospitales de Nueva York con motivo del 11-S consistió en animar a los heridos que podían hablar o escribir a que relataran sus recuerdos y compartieran sus senti-

mientos con profesionales de salud mental. La cróni-
ca que sigue fue escrita en el hospital por un bombero internado a causa de múltiples fracturas y lesiones
internas.

Me dicen que coja el camión de bomberos de mi
unidad y nos dirijamos al World Trade Center. Antes de
entrar en el túnel, desde Brooklyn, veo chocar el segundo avión contra la otra torre y estallar en una bola de
fuego. «¿Cómo vamos a sacar a la gente de allí?», pienso. Cuando salimos del túnel, en Manhattan, se ven
cuerpos por todas partes. Intento maniobrar mi camión
entre ellos. Aparco enfrente de la Torre Gemela Norte y
veo que se acercan otros camiones. Me encuentro con
algunos compañeros, nos saludamos y entramos corrien-
do en el edificio para eludir los cascotes que caen. En el
vestíbulo hay un ambiente frenético. El padre Judge,
nuestro capellán, un hombre normalmente tranquilo,
está bastante nervioso. Le he visto en muchos siniestros
y funerales de bomberos y nunca se altera.

Subimos al segundo piso para dirigir la evacuación.
En las escaleras paso junto a un carrito de bebidas y aga-
rro dos botellas de agua; pienso que me vendrán bien
más tarde. Empezamos a dirigir a la gente. «Vayan por
la derecha, no miren hacia arriba; vayan andando, sin
correr, ya están casi afuera.» Bajamos a dos personas en
brazos y, en el vestíbulo, se las entregamos a unos agen-
tes de policía que las sacan a la calle. Dos compañías de
bomberos suben escaleras arriba con mangueras. Pasan
por mi lado dos compañeros que trabajaron en mi cuar-

tel y nos saludamos. La evacuación prosigue. Casi todos bajan ordenadamente y sonríen cuando les digo que solo les queda un piso. «A la derecha unos veinte metros, luego a la izquierda otros cuatro metros... ¡y luego a la derecha hasta el vestíbulo!» «Nunca hay que olvidar por dónde se ha entrado, nos enseñan, para saber por dónde hay que salir.»

De repente, se oye un estruendo como de muchos trenes juntos llegando a una estación de metro. El ruido es ensordecedor. Pienso: «No puede ser que se esté cayendo esto.» Hay gente quejándose y gritando. Algunos son esos mismos a los que yo acababa de decir «ya están casi afuera, solo un tramo más». Al parecer, la Torre Gemela Sur se ha derrumbado, pero no sobre la nuestra, sino alrededor. Digo a los presentes que formen una cadena y comienzo a dirigirles de nuevo hacia la salida. Todas las radios han dejado de funcionar. No parece que el edificio esté muy seguro. Oímos más derrumbes. Parece que se está cayendo la torre donde estamos. Siento que me empujan. Me fallan las rodillas y me caigo.

«No voy a morirme así.» Me levanto y me meto por una ventana. He perdido el casco y la linterna. Tengo la garganta llena de polvo. Estoy muy reseco, no puedo respirar. Busco el agua que tenía en el bolsillo y ha desaparecido. Miro a mi alrededor y veo el desastre. ¿Cómo vamos a salir? Digo una oración y me despido de mi hijo de seis años, de mi esposa y de mi bebé de un mes, que tal vez no llegue a conocerme nunca.

Un hombre aconseja que nos quedemos donde estamos, que vendrán a rescatarnos. Otro sugiere que intentemos salir. Otro está herido y no dice nada. Lo que pienso es que no estoy dispuesto a morirme aquí y nadie va a estar tan loco como para venir a buscarnos. Nos cuesta respirar. Decidimos correr hacia la calle, pero hay un salto de unos cinco metros. Sé que a mis cuarenta y tres años el cuerpo no va a aguantar tan bien. De pronto, asoma el sol entre las nubes de polvo y humo y puedo vislumbrar la silueta de la escalera que baja hasta la calle. Bajo por ella y recorro una manzana. No veo a nadie y ni siquiera puedo adivinar los letreros de la calle. Me cuesta respirar y no puedo ver por el polvo. Un policía me pregunta si estoy bien. Le pido que me lleve a una ambulancia. Me llevan al hospital. Después me entero de que faltan once miembros de mi equipo. ¿Cómo voy a mirar a la cara a sus mujeres y sus hijos? Hasta el padre Judge ha muerto aplastado por los cascotes, según he sabido.

Escribo esto porque quizá así me sea más fácil dormir y no tenga que revivirlo tantas veces, aunque sé que no lo olvidaré en el resto de mi vida.

Este bombero estuvo un mes hospitalizado. Tras ser dado de alta, recibió seis meses de rehabilitación física. Una vez incorporado al servicio, participó en un programa de ayuda psicológica especialmente diseñado para los rescatadores de las víctimas del 11-S.

La desdicha, lo mismo que la felicidad, está hecha para ser compartida. Contar una amarga experiencia alivia notablemente el dolor. Varios estudios recientes han demostrado, por ejemplo, que la participación semanal en un grupo de psicoterapia de apoyo mejoró la calidad de vida y la supervivencia de mujeres afectadas por cáncer de mama con metástasis. También se ha comprobado que el acto de escribir sobre experiencias traumáticas pasadas causa una mejoría sustancial y prolongada en enfermos crónicos de asma, artritis y otras dolencias debilitantes.

Según el estudio ya mencionado de Schuster, la gran mayoría de los estadounidenses, el 98 por 100, reaccionó a los sucesos del 11-S hablando con alguien, bien para compartir sus pensamientos y emociones sobre lo ocurrido, bien para cerciorarse del estado en que se encontraban sus familiares y amigos. Casi el 90 por 100 de los padres hablaron con sus hijos pequeños sobre lo sucedido durante un mínimo de una hora. Muchas personas optaron por actividades espirituales, como rezar, asistir a actos religiosos y velatorios, solos o en grupo. Cuatro de cada diez decidieron prestar su colaboración voluntaria en diversos actos filantrópicos, como donar sangre o recaudar fondos para ayudar a las víctimas.

No es de extrañar que la reacción más frecuente ante el desastre fuese comunicarse unos con otros. Hablar con los demás y escuchar hablar a otros es una actividad humana fundamental. Gracias a nuestra capacidad de comunicación, ningún ser humano es una isla.

Las palabras tienen el poder de reafirmar nuestra presencia, nuestra integridad física, nuestra identidad y las de nuestros semejantes. Su carácter simbólico y sus vínculos a las emociones nos permiten liberarnos de angustias y temores que perturban nuestro equilibrio mental. A través del habla somos reconocidos y comprendidos, nos hacemos unos a otros partícipes de nuestro estado de ánimo, podemos aclarar situaciones confusas y recibir e infundir confianza y consuelo.

El poder de la solidaridad

Cuando nos sentimos amenazados tendemos a conectarnos con otras personas. Y cuanto más aterrador parece el peligro, más fuerte se forja el nexo de unión. Por eso en los desastres nos agrupamos y nos fusionamos emocionalmente unos a otros con el fin de anticipar y soportar mejor la adversidad. A la hora de afrontar una calamidad todos buscamos fuentes de apoyo emocional. Esto se ve muy claramente en los niños, para quienes los vínculos afectivos son indispensables en su supervivencia. De hecho, los pequeños son sorprendentemente resistentes a las situaciones traumáticas, siempre que tengan cerca a cuidadores cariñosos que les expliquen, en un lenguaje sencillo y sereno, lo que está ocurriendo y, sobre todo, les proporcionen seguridad emocional y física.

Una encuesta llevada a cabo por un grupo de psicólogos de la Universidad estadounidense de Michigan demuestra que cuatro meses después del atentado los hombres y las mujeres entrevistados se describían a sí mismos más bondadosos, más cariñosos, más agradecidos y más abiertos a trabajar en equipo que antes del 11-S. En cuanto al impacto sobre las relaciones, un sondeo limitado a residentes de Nueva York indica que cinco meses después del ataque alrededor del 40 por 100 de los neoyorquinos decían que, como consecuencia de lo ocurrido, se sentían más interesados en una relación monógama seria, en el matrimonio y en la familia, mientras que solo el 13 por 100 reconocían estar menos interesados en este tipo de relaciones estables.

Las personas que se sienten parte de un grupo solidario superan las adversidades mucho mejor que quienes se encuentran aislados o carecen de una red social de soporte emocional. Por eso, un método muy potente de fomentar la confianza, la seguridad y la normalización después de un suceso traumático es reconectar a las personas con sus fuentes naturales de apoyo: la familia, los amigos, un ambiente laboral positivo y las organizaciones sociales o religiosas con las que se identifiquen. La unión y la comunicación con otros afectados estimulan, además, el sentimiento de universalidad, o «esto no me ha pasado solo a mí», y abren también perspectivas comparativas ventajosas como «podía haber sido mucho peor» o «por lo menos estoy vivo». Estas valoraciones relativas nos ayudan a aliviar el estrés y la angustia que normalmente generan las desgracias colectivas.

En el caso de los niños, es beneficioso animarles a expresar sus miedos, que los relaten, los dibujen o los representen, por ejemplo, en juegos de muñecos. Debemos escuchar a los pequeños reposadamente y hablarles en un lenguaje que entiendan fácilmente y que les transmita seguridad y afecto. Al mismo tiempo que se les conforta y se contesta a sus preguntas, no es malo reconocer ante ellos que, aunque el mundo en esos momentos parezca menos seguro, ellos siempre cuentan con el amparo de sus padres o de las personas adultas con las que conviven. Se trata de equilibrar la verdad con la necesidad de proteger a los pequeños de un conocimiento que no necesitan ni pueden entender.

Tampoco hay que asombrarse de que muchos hombres y mujeres maduros, pero igualmente conmocionados por los sucesos, recurran a la espiritualidad en busca de consuelo. Desde hace por lo menos tres milenios la fe religiosa ha servido de pozo de agua en el desierto, al que acudían las personas cuando se sentían en peligro, sedientas de esperanza o de guía. Independientemente de los dogmas y ritos religiosos, las actividades espirituales ofrecen fortaleza de ánimo y conectan al individuo con grupos comprensivos y benevolentes. La espiritualidad también ayuda a dar sentido a las circunstancias más penosas, al situar el sufrimiento en un contexto más amplio que el de la realidad subjetiva inmediata. Por ello es un recurso que estimula a tanta gente a superar estados de ensimismamiento con el propio sufrimiento.

Como cabía esperar en momentos de tanta incertidumbre e indefensión, casi la mitad de la población se volcó en socorrer a los perjudicados por el siniestro, aunque estos se encontraran en lugares muy distantes. Las actividades filantrópicas voluntarias, que canalizan nuestra bondad y compasión hacia los demás en situaciones difíciles, aparte de su valor como mecanismo natural de supervivencia de la especie humana y de los frutos que aportan a sus receptores, son muy saludables para quienes las practican. Ayudar desinteresadamente a los demás estimula en nosotros la autoestima, induce el sentido de la propia competencia y recompensa con el placer de contribuir al bienestar de las víctimas y al funcionamiento de la sociedad en condiciones de adversidad.

Una vez que recuperamos los sentimientos de seguridad, de esperanza y de control sobre la propia vida;

una vez que ordenamos los recuerdos, los explicamos y los incorporamos al resto de nuestra existencia, solo queda reconectarnos con el entorno y volver a participar con confianza en la construcción del futuro.

Para mucha gente el trauma sirve de catalizador que facilita un cambio positivo de talante y hasta de estilo de vida. No pocos conocidos míos que fueron violentados el 11-S han dado voz a su propia miseria y la han transformado en energía vital y en empatía. Así, con la renovada capacidad de ponerse en las circunstancias de otros, han podido sentir genuinamente la realidad ajena. De alguna manera, aquella espantosa jornada les impulsó a crear un nuevo núcleo imantado de sensibilidad alrededor del cual configuraron nuevos valores, expectativas e ilusiones.

Tengo que reconocer que, para algunos, el tiempo todavía no ha rellenado completamente el enorme hueco que dejó el 11-S. Un agujero donde buscan intensamente algo que, por no estar presente, está presente. Pero, como escribe la psiquiatra norteamericana Judith L. Herman, «aunque no hay forma de borrar una atrocidad, sí existe una manera de dominarla: convirtiéndola en un regalo para otros». Todos, o casi todos, hemos aprendido bien que la mejor fuente de satisfacción en la vida es la conexión solidaria con otros seres humanos.

Ahora nuestros corazones albergan más esperanzas, menos necesidades. Nos enfrentamos al día a día con una nueva habilidad para distinguir lo importante de lo que no lo es, para refrescarnos en las pequeñas cosas, o en esas cosas que llamamos pequeñas, aunque en el fondo sean los eslabones que forman la cadena de nuestra felicidad. A la vez que forjamos un nuevo equilibrio psicológico, vivimos con ilusión y gratitud. Disfrutamos de una existencia que el sufrimiento y el terror han hecho más valiosa.

Yo diría que hemos ganado unos puntos de optimismo. No me refiero al pensamiento irreal, eufórico, indiscriminado que carece de sensatez, sino a la disposición constructiva, ecuánime y esperanzada que se ajusta a la realidad lo más posible. Intuimos que el futuro no le pertenece tanto a quienes se lamentan de la vida sin considerar sus aspectos positivos como a aquellos que la celebran después de haber sopesado su lado negativo. Quizá, habiéndonos topado con la muerte, sentimos con una fuerza especial la alegría de vivir.

3
LA NUEVA VIDA NORMAL

«El miedo saca a la luz lo más espiritual y lo más mundano de nuestra naturaleza, explica lo más noble y lo más mezquino de la historia. Nos impulsa a acercarnos a Dios y alejarnos de Él, a empezar guerras y a terminarlas.»

RUSH W. DOZIER, *El miedo mismo*, 1998

La vida de millones de personas quedó alterada drásticamente por los efectos emocionales, sociales, económicos y políticos de los sucesos del 11 de septiembre. El impacto, tangible por un lado y simbólico por otro, de esta tragedia humana sin precedentes obligó a muchos hombres y mujeres a ajustarse a una «nueva normalidad», no solamente en la organización de su vida cotidiana, sino, muy especialmente, en su sentir interior.

Si bien la mayoría de los aspectos de la nueva vida normal ya estaban latentes en el sentir de la población antes del 11-S, la fuerza de los acontecimientos los intensificó y extendió de forma inusitada. A continuación, paso a repasar los ingredientes psicológicos y sociales que configuran, hoy más que nunca, la estructura mental de los estadounidenses y, en general, de los pueblos de Occidente.

DEPRESIÓN

Las estadísticas corroboran que los índices de depresión en el mundo van en ascenso desde hace varios años, pero el ambiente de desilusión y dolor creado por los sucesos del 11-S y los conflictos violentos subsiguientes en Afganistán y el Oriente Próximo han servido de caldo de cultivo para acelerar aún más esta preocupante tendencia a la nostalgia.

Se calcula que alrededor del 12 por 100 de las mujeres y el 8 por 100 de los hombres de la población actual de Occidente sufren depresión en algún momento de sus vidas. El mayor número de deprimidas se explica, en parte, por los efectos de los cambios hormonales femeninos sobre los niveles de serotonina, dopamina y otras sustancias activas en los centros cerebrales que regulan el estado de ánimo. Pero, además de la química cerebral, otra conocida fuente de desilusión para muchas mujeres de hoy es la doble carga del trabajo y las obligaciones del hogar que a menudo soportan. Por otra parte, los hombres en general tienden a resistirse más a pedir ayuda psicológica que las mujeres.

En contraste, el suicidio es aproximadamente tres veces más común entre los hombres deprimidos que en las mujeres. Según la Organización Mundial de la Salud, de cada cien mil habitantes, en España se quitan la vida al año once hombres y cuatro mujeres, en Estados Unidos veinte hombres y siete mujeres, y en Suecia veintiocho hombres y diez mujeres. Es posible que esta mayor proclividad de los hombres a autodestruirse en momentos de desesperación se deba a su conocida impulsividad y menor tolerancia del sufrimiento crónico. De todas maneras, solo podemos especular sobre lo que de verdad ocurre en la mente de los suicidas.

Las generaciones más jóvenes son las más vulnerables al aumento de los estados depresivos. Por ejemplo, la probabilidad de que una persona nacida después de 1955 sufra en algún momento de su vida de sentimientos profundos de desconsuelo y autodesprecio es el doble que la de sus padres y el triple que la de sus abuelos. En concreto, en Estados Unidos y en ciertos países europeos, solo un 1 por 100 de las personas nacidas antes de 1905 sufría depresión grave antes de cumplir setenta y cinco años, mientras que entre los nacidos después de 1955 el 6 por 100 padece esta afección antes de llegar a veinticuatro. Los jóvenes de hoy crecen con más idealismo, más libertad, más derechos y oportunidades, pero también son presa de un derrotismo que a menudo les hace ver cualquier fracaso transitorio como permanente.

A pesar de todo, hoy son menos las personas deprimidas que sufren en silencio. La depresión es una enfermedad que cada día se reconoce y acepta con mayor facilidad. Su estigma social es menos humillante, por lo que los afligidos buscan ayuda profesional más abiertamente que antes, un cambio que ha contribuido al aumento de esta dolencia observado en las estadísticas. Otro dato importante es que, gracias a los avances médicos y farmacológicos, el 90 por 100 de las depresiones endógenas o de causa predominantemente biológica se pueden curar.

En Nueva York, numerosos estudios demuestran que la proporción de personas deprimidas, tanto adultos como niños, se incrementó considerablemente a raíz del 11-S. Este dato revela el impacto esperado de una situación abrumadora excepcional en la realidad humana. Me refiero al hecho de que la tristeza, la desmoralización, la apatía, la desesperanza y el cuestionamiento del significado y valor de la vida, son consecuencias normales de una experiencia traumática.

Aparte de los efectos desalentadores que tuvo el 11-S, otra razón del decaimiento del ánimo observado en las sociedades de Occidente reside en que algunos de los esquemas mentales que nos protegían de la desilusión con nosotros mismos han perdido su vigencia y necesitan renovarse. Los valores narcisistas —basados en la creencia de que el ser humano es el centro del universo, dueño total de sí mismo y poseedor de la verdad absoluta—, que en el pasado nos ayudaron a protegernos contra nuestra conciencia de fragilidad y de impotencia, están perdiendo su atractivo. Cada vez son más los que consideran a estas defensas prepotentes como recursos simplistas, incorrectos, arrogantes y, en suma, inservibles.

Es normal que la caída del ser humano de su pedestal de invulnerabilidad produzca salpicaduras de descorazonamiento y tristeza. Yo creo, sin embargo, que, pese a estos efectos dolorosos, la transición del narcisismo a la depresión a la larga nos beneficia, pues mientras la depresión es casi siempre un estado de ánimo pasajero para el que disponemos de remedios eficaces, el narcisismo es un rasgo recalcitrante y mucho más retorcido de la personalidad, que aísla, ensimisma y embrutece.

Hoy sabemos que una buena receta para superar los desafíos que nos plantea la vida es reconocer con humildad que somos una pequeña parte del universo, que dependemos irremediablemente de los demás, que estamos sometidos a fuerzas internas y externas que a menudo no entendemos ni dominamos, y que el conflicto es inevitable. Esta disposición impregnada de realismo y sencillez nos ayuda a conocernos, a justipreciarnos, a sentirnos más humanos, a evolucionar. A fin de cuentas, la autoestima más beneficiosa es la que está basada en la aceptación genuina de nuestras capacidades y limitaciones. Esta autoestima, sensata y práctica, nos permite discernir entre las fuerzas que podemos controlar y las que no controlamos. Es la misma autoestima que nos abre el camino para tratar de cambiar las cosas que podemos cambiar y aceptar las cosas que no podemos cambiar.

Conciencia de vulnerabilidad

Otro ingrediente que impregna la vida cotidiana de Occidente es la sensación profunda, íntima y permanente de vulnerabilidad. Hoy, un gran número de personas nos sentimos física y emocionalmente frágiles, como si hubiéramos sobrevivido a un cáncer o a un ataque al corazón después de un largo tratamiento y viviéramos con el miedo constante a que el temido mal se repita. Esta conciencia de vulnerabilidad se ha agravado en Estados Unidos, donde, ahora más que nunca, se ha cernido sobre muchos ciudadanos una sombra de inquietud ante el peligro latente de otros atentados terroristas impredecibles, caprichosos, sin lógica, que no siguen ningún orden o patrón, lo que imposibilita que puedan tomarse medidas preventivas concretas.

Actualmente percibimos un terrorismo diferente. El uso de la fuerza contra personas inocentes para sembrar el pánico, coaccionar, vengarse, castigar a un poder establecido o forzar un cambio político en tiempo de paz no es nada nuevo. Pero la potencia letal de esta fuerza destructiva, las ideas que la alimentan, los métodos que se usan para aplicarla y su omnipresencia en el mundo han cambiado definitivamente el concepto de terrorismo. El refrán chino «Mata a uno y asusta a diez mil», que hasta hace poco sintetizaba el pensamiento tradicional de los terroristas, ha quedado obsoleto. Los miles de muertos y la vasta destrucción que produjeron los atentados del 11-S marcan la entrada de una nueva forma de violencia terrorista a gran escala en el escenario de las desavenencias y conflictos entre los pueblos. En esta nueva forma de violencia, los «superterroristas» del siglo XXI persiguen sus objetivos asesinando indiscriminadamente al mayor número posible de almas inocentes.

Según el historiador estadounidense Brian Jenkins, de diez mil atentados cometidos desde 1968 hasta el 11 de septiembre de 2001, catorce de ellos superaron los cien muertos. Los ataques más cruentos, en cuanto al número de víctimas, han sido los perpetrados en los últimos veinte años. El más dañino de los atentados ocurridos en el mencionado período tuvo lugar en 1985, cuando un avión comercial de Air India, con 325 pasajeros, explotó en el aire a causa de una bomba. Me imagino que los terroristas que planearon los atentados del 11-S debieron de creer que para conseguir sus metas tenían que subir a tope el volumen del horror.

El terrorismo tradicional ha estado impulsado sobre todo por ideologías políticas y ansias nacionalistas o separatistas. Sin embargo, en la última década las creencias religiosas han comenzado a servir de fundamento de este tipo de agresiones. Este cambio ha sido muy significativo, pues quienes están convencidos de que enarbolan el mandato de Dios para eliminar a sus enemigos «infieles» parecen tener menos reparos a la hora de matar sin piedad y al por mayor. No les preocupa la opinión pública, ni tienen un programa político que promover. Además, en la mente de estos devotos, morir por la causa divina en una «guerra santa» da beneficios: garantiza una vida dichosa y eterna en el más allá.

El testamento que dejó escrito Mohamed Atta, cabecilla del grupo de terroristas del 11-S, de treinta y tres años e hijo de un prestigioso abogado de El Cairo, que estrelló el Boeing 767 de American Airlines que pilotaba contra la Torre Gemela Norte, ilustra este punto. Según sus últimas palabras, Atta buscaba la recompensa que el Corán reserva únicamente para los mártires. No obstante, su escritura literal de salmos del texto sagrado estaba saturada de referencias sensuales como esta: «Sabed que los jardines del paraíso nos están esperando con toda su belleza, y las vírgenes del paraíso, vestidas con las prendas más bellas, nos esperan ansiosas: "Venid conmigo, amigos de Dios" nos imploran». Esta promesa irresistible está compuesta de una mezcla surrealista de versos sagrados con fantasiosas ofrendas eróticas.

El auge del terrorista suicida es otra inquietante característica del terrorismo de hoy, que contribuye a incrementar el sentimiento de vulnerabilidad propio de los últimos tiempos. Inmolarse en nombre de un poder superior ha sido desde la antigüedad una forma de aniquilar a los rivales. El autosacrificio de Sansón, el héroe guerrero israelita que, según nos cuenta el Antiguo

Testamento, derribó con su fuerza muscular las columnas que soportaban el templo del dios Dagon, en Gaza,
y murió aplastado junto a los odiados filisteos, es un
ejemplo emblemático de cómo se unen el deseo de matar y el de morir. Otro ejemplo clásico son los tres mil
kamikazes japoneses, jóvenes pilotos del ejército impe-
rial, que con sus aviones cargados de bombas se estrellaron voluntariamente contra objetivos enemigos, en
defensa de su patria y del emperador, a finales de la Segunda Guerra Mundial.

En los últimos veinte años, cientos de bombas humanas han explosionado y pulverizado a criaturas inocentes en Oriente Próximo, India, Sri Lanka y otros países. No obstante, el terrorismo suicida reciente se ha
convertido en el arma principal de grupos musulmanes
fanáticos que no dudan en lavar el cerebro y convencer
a muchachos sugestionables, sin esperanza de futuro y
nada que perder, de que su vocación es hacer la ofrenda
suprema de la vida por el bien de su pueblo.

Los ataques del 11-S ilustran también la realidad
del terrorismo global. La mayor porosidad e intercambio que existen hoy entre las naciones, y la libertad
para cruzar fronteras, visitar y vivir en diferentes países, permite a los terroristas moverse por el mundo con
facilidad y rapidez y elegir sus objetivos en pueblos distantes.

El 11-S caímos trágicamente en la cuenta de que realmente es posible que los terroristas recurran a medios tan accesibles y rutinarios como aviones comerciales, el correo, el sistema de suministro de agua, o utilicen a un voluntario dispuesto a infectarse con algún virus letal y contagioso, contra el que no tenemos tratamiento, para desperdigarlo anónimamente por alguna populosa ciudad. Tras años de discusión sobre cómo salvaguardar el plutonio para evitar su mal uso en la construcción de armas nucleares, o las ventajas de invertir billones en erigir un escudo antimisiles impenetrable para protegernos de los enemigos, bastaron cuatro aviones de pasajeros pilotados por hombres armados con simples navajas para acabar con tres mil vidas, robar la dicha a cientos de miles de personas y amedrentar al mundo.

Dada la aparente facilidad para transformar instrumentos de paz en artefactos de muerte, el arma secreta de los terroristas de hoy no necesita más que una mezcla de persistencia, organización, intrepidez y lealtad ciega a una causa.

MIEDO A LO DESCONOCIDO

Las raíces de la vulnerabilidad que albergamos en esa parte nebulosa de nuestra mente que llamamos el subconsciente están alimentadas por el miedo. Es un miedo indefinido, velado, latente, incómodo, contagioso, que nos hace suspicaces y aprensivos.

El sentido de futuro está profundamente arraigado en el sistema de valores de nuestra civilización. El hecho de que el cerebro humano utilice las experiencias pasadas para predecir el mañana sirve, en cierta medida, para aplacar el temor ancestral a todo aquello que, por ser desconocido e incontrolable, se convierte en una amenaza. Por ello, cuanto menos capaces nos sentimos de planificar nuestro destino y más incierta nos parece nuestra vida, más espacio dejamos abierto para que el miedo a lo desconocido conmocione nuestros cimientos. Se me ocurre que quizá fuese este agobiante estado emocional de ansiedad lo que impulsó al escritor francés del siglo XVI Michel de Montaigne a decir aquello de «a lo que más miedo tengo es al miedo mismo».

Este miedo a lo desconocido no debe confundirse con la sensación de sospecha y desasosiego ante un peligro conocido o una amenaza real, sensación que puede servirnos de aviso y permitir que detectemos de antemano circunstancias dañinas y tomar a tiempo medidas preventivas. Me imagino que nuestros antepasados precavidos que supieron mantener despierto este sentido instintivo de alerta aumentaron sus probabilidades de sobrevivir. Por el contrario, el miedo a lo desconocido al que me refiero es una emoción paralizante que nos hunde en un ambiente angustioso y opresivo y nos obnubila el juicio. De hecho, uno de los aspectos clave para un saludable desarrollo desde la infancia consiste en el esfuerzo por reconocer y nombrar las situaciones que nos atemorizan, entenderlas y superarlas para así conocernos mejor a nosotros mismos y liberarnos de los fantasmas que obstruyen el crecimiento de nuestras facultades innatas.

Las personas no podemos vivir en un estado permanente de terror. Por eso, ante condiciones peligrosas persistentes, como los secuestros prolongados, los malos tratos en el ámbito familiar o las guerras, la mayoría de las personas llegamos a habituarnos hasta el punto de mantener intacta nuestra capacidad de atender a las tareas cotidianas básicas. Pero para que nos podamos habituar a una situación de peligro, tenemos que anticiparla o esperarla. Por ejemplo, numerosos estudios sobre los efectos de los bombardeos en Londres por aviones alemanes durante la Segunda Guerra Mundial demuestran que mientras los ataques formaban parte de la rutina diaria, los londinenses se organizaban, mantenían la calma, iban a trabajar e incluso se permitían el buen humor contando chistes durante sus noches en los refugios. Por el contrario, cuando los alemanes cambiaban los horarios de sus ataques, de forma que los londinenses no sabían cuándo iban a ser bombardeados, los ciudadanos se deshabituaban al peligro y se sentían más vulnerables. Sus niveles de inseguridad y ansiedad aumentaban y funcionaban peor que cuando daban por descontado la llegada de los bombarderos nazis.

La muerte inesperada, tanto la propia como la de nuestros seres queridos, es la fuente más inquietante de aprensión. Los expertos en las armas del terror saben que unos cuantos atentados violentos al azar pueden desencadenar el pánico en un país entero. Y el pánico hace estragos. La eventualidad del terrorismo a gran escala, al que hoy aspiran grupos fanáticos suicidas de múltiples nacionalidades, dispuestos a valerse de medios públicos corrientes para alcanzar sus objetivos, altera las expectativas de orden y seguridad que hacen predecible la existencia y arruina la energía creadora de cualquier sociedad. Un estado permanente de incertidumbre es especialmente nocivo para la salud. Produce un tremendo agotamiento, socava la sensación de control sobre la propia vida, transforma a las personas sanas en seres asustadizos y desconfiados y, en definitiva, nos roba la felicidad.

Una tendencia positiva que atenúa algo este estado de aprensión y de impotencia es el aumento que se ha producido desde el 11-S en el nivel general de confianza de la gente en sus familiares y conocidos, y en ciertas instituciones públicas. Algunos sociólogos, como el profesor Robert D. Putnam, de la Escuela Kennedy de Gobierno de la Universidad de Harvard, han seguido la evolución de lo que llaman «confianza social», que es el componente que hace posible la colaboración ciudadana. Putnam comparó los datos de un sondeo de opinión de treinta mil estadounidenses, llevado a cabo en otoño de 2000, con los datos de encuestas similares más recientes, efectuadas en noviembre de 2001 y en marzo de 2002. Los resultados de esta comparación revelan un incremento esperanzador en la confianza que las personas dicen tener en sus parientes y amigos, en los compañeros de trabajo, en sus vecinos, en la policía, en los bomberos y en las entidades gubernamentales encargadas de la defensa del país.

La confianza es como una riqueza natural que nos ayuda a soportar circunstancias difíciles de todo tipo. Se basa en la buena fe o esperanza que tenemos en otra persona, grupo o institución. Las reservas de confianza se acumulan cuando nos sentimos correspondidos o protegidos en momentos en los que nos mostramos vulnerables. La confianza, sin embargo, es frágil. Una traición o un desengaño pueden ser suficientes para agotarla. Sospecho que el fortalecimiento de la confianza en estos tiempos impredecibles e inseguros refleja el sentimiento general de que ahora nos necesitamos unos a otros más que nunca.

NACIONALISMO XENÓFOBO

El 11-S revitalizó la exaltación de la identidad y el orgullo nacional en Estados Unidos. Esta reacción no es de extrañar. El sentimiento colectivo de vulnerabilidad y el miedo compartido a menudo se convierten en una potente energía organizadora de la sociedad. En tiempos de crisis suelen aparecer corrientes patrióticas y nacionalistas que estimulan un espíritu de filiación y unidad. Pero estas fuerzas sociales unificadoras y reconfortantes también fomentan el apoyo ciego a políticas autoritarias intervencionistas, represivas y discriminatorias que en condiciones normales no serían admisibles.

La necesidad imperiosa de aliviar la sensación general de inseguridad y de prevenir futuros atentados dio pie a muchos gobernantes a glorificar el nacionalismo y la seguridad del Estado y, de paso, a implantar medidas protectoras excepcionales, unas medidas que, en cierto modo, restringían las libertades civiles y permitían la invasión de la vida privada de los ciudadanos por los servicios policiales y de seguridad gubernamentales. Lamentablemente, como suele ocurrir en condiciones sociales de inestabilidad, de suspicacia y de temor, salieron a flote frustraciones y resentimientos que provocaron actitudes discriminatorias y deshumanizantes hacia «los otros», o los grupos considerados sospechosos.

El principio diferenciador de «los otros» se basa en la creencia tácita de que existen grupos de personas «diferentes» y peligrosas con quienes no tenemos nada en común, ni siquiera una parte discernible de humanidad. Esta idea se usa implícitamente para justificar la imposición de medidas coercitivas y hostiles hacia grupos foráneos y para disculpar los recortes de sus derechos humanos y opciones democráticas. En el fondo, el concepto de «los otros» es la forma silenciosa con la que algunos seres humanos reclaman su superioridad moral sobre otros, y se arrogan el permiso de demonizar a ciertos hombres y mujeres y considerarlos blancos aceptables de agresión.

La demonización de nuestros semejantes es un antiguo método de discriminación. En espacios oscuros de la historia se concibieron figuras imaginarias de espíritus maléficos que envenenaban la mente y pervertían la convivencia, que han servido después de metáforas protectoras y reforzadoras de los prejuicios sociales. Estos demonios han evolucionado de acuerdo con las creencias y estereotipos de cada época y lugar. Hace años los diablos eran los infieles, las brujas, los bolcheviques, los fascistas y, hasta hace poco tiempo en Estados Unidos, los comunistas que formaban el temido «imperio del mal». Ahora, los demonios más populares en los países de Occidente son los inmigrantes procedentes de otras culturas.

Inmediatamente después del 11-S, con las calles de las ciudades estadounidenses empapeladas de banderas del país, cientos de individuos de Oriente Próximo, del sur de Asia o que por su aspecto físico parecían proceder de esas partes del mundo fueron acosados y hasta agredidos por grupos xenófobos, o perseguidos, interrogados e incluso encarcelados por la policía, bajo sospecha de estar conectados con terroristas islámicos. En la mayoría de los casos la única razón por la que fueron detenidos era por ser oriundos de algunas de esas naciones. De esta forma, la tragedia humana que supuso el 11-S fue pronto entrelazada con una política global de exclusión y desconfianza hacia personas de ascendencia musulmana. Hoy, en muchas sociedades de Occidente, estos grupos discriminados continúan sirviendo de chivos expiatorios. Son como espejos en los que la sociedad mayoritaria refleja las frustraciones y patologías sociales del momento.

Demonizar y marginar a «los otros» es una reacción extremadamente peligrosa, que no tarda en extenderse y contagiarse como una fiebre maligna. Fiebre que además de oprimir, denigrar y segregar injustamente a personas inocentes, transforma a la sociedad en una jungla cargada de irracionalidad, paranoia y supremacía moral. Con el tiempo, este arbitrario desplazamiento de culpa se convierte en un peligroso exorcismo que al final se paga con más odio, violencia e inseguridad.

SED DE VENGANZA

En tiempos de crisis todos los pueblos consideran justa su causa. Pero la combinación de una nación superpoderosa con una imagen supervirtuosa de sí misma es especialmente preocupante. Cuando la verdad se convierte en la convicción prepotente y soberbia de «estar en posesión de la verdad» resulta muy difícil distinguir la una de la otra. Así se forja un fanatismo nacionalista que, bajo un halo ilusorio de virtud, justifica la ciega crueldad contra el enemigo. Un símbolo popular de ficción en Estados Unidos que encarna esta mezcla explosiva de poder y virtud, de verdad y usurpación de la verdad, es el personaje de *Superman,* el héroe mítico procedente del planeta Krypton, dotado de fuerzas ilimitadas y luchador incansable por «la verdad, la justicia y el método americano». Este semidiós vengador utiliza sus poderes excepcionales para satisfacer los anhelos revanchistas colectivos.

La venganza, un sentimiento eminentemente humano que posee la intensidad de la pasión, la fuerza de un instinto y la compulsión de un reflejo, es el combustible de muchas tragedias humanas. Y aunque pueda considerarse normal que las víctimas de una agresión o humillación cruel alberguen sentimientos de odio y desprecio hacia sus perpetradores, el ánimo de venganza puede constituir una fuerza destructiva muy potente. Sumergidos en el trance de la revancha y obsesionados por el ajuste de cuentas, los seres humanos se vuelven mezquinos, ciegos y arrebatados.

La sed insaciable de venganza es un destacado elemento de la nueva normalidad. Escasas semanas después del 11-S, las tropas de Estados Unidos, con el apoyo político de las Naciones Unidas y el respaldo militar de países europeos, emprendieron el bombardeo masivo y la invasión de Afganistán, con el fin de vengarse de la afrenta. Sospecho que, si bien las encuestas de entonces indicaban que la idea de ir a la guerra fue defendida por una mayoría herida y encolerizada de estadounidenses —lo que también explica el gran aumento que se produjo en el número de voluntarios que se alistaron en el ejército—, la verdad es que no sabemos con certeza si quienes contestaban a la pregunta de los encuestadores a favor del desquite entendían con claridad las terribles implicaciones de su respuesta. Cuando la sociedad considera matar por venganza un acto justo, necesario y hasta heroico, le entrega un arma de fuego a un soldado y le dice que mate, también le incita a dar rienda suelta a su odio.

Hoy la «venganza de Estado» parece haberse convertido en el modo de obrar de algunos gobiernos. Ante agresiones externas muchos líderes saben que la política de saldar cuentas con los villanos es la más segura y popular. Ansiosos por hacer cualquier cosa que reafirme su poder y que contrarreste, aunque sea temporalmente, la humillación del pueblo, dan rienda suelta a la furia revanchista, relegando el concepto de perdón al olvido. Parten de la base de que hay una mayoría ultrajada dispuesta a pagar el precio que sea con tal de borrar del mapa a los culpables, incluso si, de paso, se llevan por medio vidas inocentes «colaterales».

La respuesta primitiva de matar al adversario violento que nos ha agraviado todavía es considerada por muchos el acto supremo de justicia y de redención, pues, según este punto de vista, termina irreversiblemente con el agresor, cancela su deuda con la sociedad y anula mágicamente la ofensa. Resulta irónico observar que personas que rechazan con vehemencia la pena de muerte por inmoral, cruel, racista e ineficaz, no pestañean a la hora de dar licencia legal a jóvenes reclutas para matar al enemigo sin preguntar.

Perseguir a cualquier precio la aniquilación de quienes quebrantan nuestras vidas nos ata a todos a una cadena eterna de violencia. Y también nos deshumaniza, pues nos obliga a adoptar las mismas tácticas que los verdugos. El mismo libro del Corán nos advierte con sentido común: «Si un hombre muere asesinado, su heredero tendrá derecho a la satisfacción del desquite. Pero su revancha no debe ser excesiva, pues seguro que la víctima será auxiliada y vengada por otros».

Un ejemplo trágico de la dimensión que puede alcanzar la sucesión de represalias mortales es el conflicto, tan interminable como sangriento, entre Israel y Palestina. Durante años, la lista diaria de víctimas de uno y otro lado refleja con una claridad espeluznante el dolor, la devastación y la muerte que produce la venganza en sesión continua. Otra faceta macabra que pone de relieve este saldo sanguinario es la diferente valoración que adquiere la vida humana. En estos tiempos ni siquiera se respeta la ya salvaje proporción simétrica bíblica de «vida por vida, ojo por ojo, diente por diente...».

James Bennet, corresponsal en Oriente Próximo del diario *The New York Times,* explicaba esto hace poco cuando informaba de que el reciente acercamiento de la proporción de muertos israelíes y palestinos desmoralizaba a Israel y animaba a Palestina. Durante los primeros diecisiete meses de la primera «intifada», o levantamiento de los jóvenes palestinos contra Israel, que comenzó en 1987, por cada israelí que moría perecían veinticinco palestinos. Sin embargo, en los primeros diecisiete meses del conflicto que estalló en el año 2000 la proporción de muertes pasó a ser de un israelí por cada tres palestinos. Si repasamos el balance de muertos que se produjeron en las guerras de Vietnam, el golfo Pérsico o los Balcanes, es evidente que el conflicto de Oriente Próximo no es el primero en el que el valor comparativo de la vida de un ser humano parece depender de la cotización de la divisa de su país.

Pienso que basta con echar un vistazo a las noticias internacionales de los últimos meses para convencerse de que la autodefensa más justa se corrompe fácilmente con el abuso de la fuerza. Por eso, respaldo las palabras de Martin Luther King, Jr., el mítico líder negro de los derechos civiles, que en 1958, diez años antes de ser asesinado por un francotirador en el balcón de un hotel de la ciudad norteamericana de Memphis, escribió: «La violencia como método para alcanzar la justicia no es práctica ni moral. No es práctica porque forma una espiral que termina en la destrucción de todos.

No es moral porque persigue humillar al adversario en lugar de ganar su entendimiento, busca aniquilar en lugar de convencer, utiliza el monólogo en lugar del diálogo y se nutre del odio y no del amor».

EL DOMINIO DE LA TELEVISIÓN GLOBAL

Todos los medios de comunicación juegan un papel muy importante en el mantenimiento del nuevo equilibrio psicológico, pero la televisión es, hoy por hoy, el medio más penetrante, más popular y más eficaz. Las ondas hercianas se han convertido en la conexión más inmediata entre los habitantes del globo.

No cabe duda de que sin el ojo televisivo los ataques del 11-S, en particular la destrucción de las Torres Gemelas, no hubieran tenido el impacto tan profundo y extenso que tuvieron en el mundo. Cuesta no creer que los terroristas que planearon el atentado sopesaran la rutina de la población televidente mundial y sincronizaran perversamente sus impactos para conseguir la mayor audiencia posible. Mientras que en Estados Unidos los sucesos fatídicos coincidieron con la hora de los telediarios matinales, en Europa el drama encajaba puntualmente con los informativos de la tarde y en Asia con los noticieros de la noche.

Durante aquella inolvidable jornada, la población adulta estadounidense estuvo un promedio de ocho horas siguiendo el aterrador espectáculo por televisión, mientras que los niños pasaron, de media, tres horas delante de la pantalla. Pese a que las principales cadenas televisivas optaron voluntariamente por limitar la retransmisión de las secuencias más duras y descarnadas, por respeto a los familiares de las víctimas y para proteger a los pequeños, las imágenes de la televisión contribuyeron indudablemente a aumentar el daño psicológico del suceso, como demostró el estudio ya citado de Mark Schuster.

La televisión responsable nos informa, nos sitúa en el tiempo y en el espacio, lo que nos da una cierta confianza y seguridad. A menudo sirve de foro de debate para las ideas y de fuerza promotora de la democracia. Pero la televisión también se encarga de nutrir nuestros sentimientos de vulnerabilidad con telenoticias constantes de desastres inesperados. Al mismo tiempo, la pequeña pantalla alimenta nuestra necesidad natural de estímulo y excitación y satisface el instinto humano de *voyeur,* de mirar, de vivir fantasías de dominio y de poder. Y es que los seres humanos siempre hemos sentido un apetito insaciable por historias de trauma y nos hemos fascinado ante las escenas de catástrofes y atrocidades. Las violentas tragedias televisivas, reales o ficticias, resuenan dentro de nosotros de una forma especial, nos ponen en contacto con nuestros secretos deseos de subyugar y controlar, con nuestros miedos sobre la vida y la muerte, y, de paso, nos sirven de purga emocional liberadora.

El desarrollo de la tecnología de retransmisión de imágenes vía satélite nos abastece a diario de información narrada y visual sobre la mayoría de los sucesos aterradores que ocurren en todo el mundo. Estos relatos entran simultáneamente en los cuartos de estar, dormitorios, bares, casinos y lugares públicos de todo el planeta. La difusión se hace de una forma tan rápida y real que los televidentes más alejados de los acontecimientos los contemplan como los aficionados ven matar a los toros en el ruedo de su ciudad. Otra consecuencia de esta videocracia global es que fomenta las charlas y discusiones en la calle. Crea una especie de plaza del pueblo en la que, en lugar de chismorrear sobre nuestros vecinos —de quienes cada vez sabemos menos—, discutimos y compartimos opiniones sobre los buenos y los malos que protagonizan las noticias en países remotos.

Con demasiada frecuencia los medios de comunicación intentan manipular la opinión pública, borrando la frontera entre lo que es cierto y lo que no lo es. Así, por ejemplo, es un hecho reconocido que la libre cobertura de la guerra de Vietnam suministró diariamente escenas de tal dureza que con el tiempo permitió a muchos estadounidenses ir más allá de los principios abstractos de patriotismo y afrontar el sufrimiento tangible de otros seres humanos. Estas imágenes brutales, difundidas en un tiempo en el que no existía la variada gama de horror televisivo que tenemos ahora, fueron un factor importante a la hora de avivar la oposición a la guerra.

Por el contrario, los limitados y controlados reportajes televisivos de la más reciente invasión de Afganistán por Estados Unidos trataron de «esterilizar» la cruda realidad de las represalias masivas de este país y sus aliados contra los afganos. Esta contienda se representó en un escenario casi aséptico e irreal de misiles y bombas inteligentes que seguían complicadas logísticas y lograban impactos precisos en montañas lejanas e impersonales. La verdad, sin embargo, es que cuando nos apartábamos de la pequeña pantalla, tan parcial y engañosa, se hacía evidente que estos desquites violentos estaban llenos de crueldad, de víctimas inocentes y de destrucción sin sentido.

Igualmente, las telenoticias sobre el conflicto sangriento entre israelíes y palestinos de la primavera de 2002 eran tan partidistas y sectarias que, dependiendo del país o del canal que captaba y emitía «los hechos», la información que nos llegaba variaba hasta el punto de parecer que estábamos ante realidades diferentes. Por ejemplo, la cadena de televisión árabe Al Jazeera, con base en el emirato independiente de Qatar, llamaba mártires a los muertos palestinos y operaciones de comando a las explosiones de bombarderos suicidas. En contraste, los comentaristas de las cadenas estadounidenses ABC, CBS y NBC utilizaban los términos terroristas o criminales para etiquetar los mismos sucesos, mientras que la CNN se movía caprichosamente entre estos dos extremos. Al final, los acontecimientos que contemplábamos en la pantalla fueron más drama televisivo, más espectáculo y más comentario editorial que referencias históricas fidedignas.

El teleobjetivo nunca abarca el suceso en toda su dimensión, aunque pretenda que lo hace. Perpetúa los estereotipos del bueno y el malo y simplifica situaciones o temas complejos, haciéndolos atractivos para el gran público. Como consecuencia, la verdad es superada por el sensacionalismo. Está claro que aunque los medios de comunicación no implantan mecánicamente creencias ni opiniones en la mente del público —los seres humanos aprendemos muy pronto en nuestro desarrollo a diferenciar fantasía de realidad—, la televisión, más que ningún otro medio, tiene el poder de decidir lo que es noticia y de enseñárnosla a su manera.

Es evidente que, en el escenario de la violencia, cuanto más poderosa e influyente es la nación agredida o agresora, mayor es su capacidad de definir, explicar, valorar, justificar y hasta amañar los sucesos a través de la televisión. Y mayores las posibilidades de que su argumento o punto de vista prevalezca sobre la opinión pública mundial.

LAS MUJERES NO CUENTAN

Otro aspecto llamativo de la nueva normalidad es la falta absoluta de caras femeninas en el escenario del poder internacional. En los centros de control y mando de las naciones más guerreras del mundo, donde se toman las decisiones que afectan a la supervivencia de pueblos enteros, las mujeres, a pesar de formar más de la mitad de la humanidad, brillan por su ausencia.

En el drama del 11-S y su violenta secuencia, con excepción de muchas víctimas inocentes, todos los actores eran varones, desde los diecinueve terroristas que protagonizaron los ataques y sus correligionarios y supervisores afganos, hasta los dirigentes políticos, militares y religiosos que desempeñaron los papeles principales posteriores, en Estados Unidos, Europa, Oriente Próximo y Asia. Las escasas jóvenes que en un momento dado apretaron un gatillo o detonaron una bomba, solo sirven para confirmar la regla y hacer más obvia la falta de participación femenina en estos capítulos trascendentes de la historia de nuestros días.

En los países desarrollados la mujer ha avanzado significativamente en la escala social y económica en los últimos treinta años. Este progreso no ha ocurrido en muchas de las naciones de Oriente Próximo y el sur de Asia, donde el extremismo religioso, la discriminación o las viejas costumbres patriarcales han mantenido a la mujer apartada del mundo de la enseñanza, la política y las finanzas. De todas formas, en la actualidad, tanto en los países más ricos y desarrollados como en los más pobres y retrasados, todos o casi todos los líderes sociales, políticos y militares con autoridad para decidir si ante un desacuerdo irreconciliable con otro pueblo se opta por una estrategia pacífica o por declarar una guerra tienen cara y cerebro de varón.

Lo peligroso de esta inequidad es que, como numerosos estudios demuestran, las sociedades en las que las mujeres contribuyen, en igualdad de condiciones, a las decisiones políticas gozan de mayor estabilidad y de más alta calidad de vida. Cuando la influencia social de las mujeres aumenta, se fortalece el centro moderado y se refuerzan la economía y la democracia. La participación de las mujeres sirve, pues, de factor aplacador de radicalismos.

Además, es un hecho conocido, aunque no nos guste hablar de ello, que la propensión a recurrir a métodos violentos para alcanzar metas o resolver discordias aflige desproporcionadamente a los hombres en comparación con las mujeres. La prueba estadística es contundente: el 90 por 100 de la población encarcelada por crímenes de sangre en el mundo son varones. Hay mujeres sanguinarias, pero son casos insólitos que, precisamente por su rareza, despiertan casi tanta curiosidad como indignación.

Los varones son también víctimas habituales de la violencia. De hecho, mueren asesinados con mucha más frecuencia que las mujeres. Ser varón es incluso un factor de riesgo de morir de infanticidio en el hogar familiar. La razón es que las niñas provocan menos hostilidad en el padre, que en estas tragedias suele ser el verdugo. La justicia también se encarga de eliminar de este mundo a más hombres que a mujeres criminales. Según datos de la organización Amnistía Internacional, de las seis personas que son ejecutadas legalmente cada día en el planeta, el 99 por 100 son hombres.

Cuando tratamos de comprender la marcada desigualdad en el reparto de las semillas de la violencia entre hombres y mujeres, creo que es importante comenzar por abandonar la idea de que la inclinación a la violencia es puramente genética. Aprendemos a ser agresivos y crueles de la misma forma que aprendemos a ser compasivos y racionales. Los seres humanos agreden, torturan y matan por odio, por ambición y por venganza, pero no por instinto.

Muchas de las características que adjudicamos a cada género no han surgido en un vacío, sino que se han fundamentado en las propiedades biológicas de ellos y ellas. Por ejemplo, según las investigaciones analizadas por los neurólogos Gerianne Alexander y Bradley Peterson, de la Universidad de Yale, las diferencias cerebrales entre hombres y mujeres explican que, en general, los varones sean más agresivos físicamente que las mujeres, muestren mayor predilección por juegos peligrosos o violentos y por tareas que requieren fuerza, mientras que las mujeres manifiestan preferencia por situaciones y juegos que tratan sobre temas de relaciones o de afiliación social, y tienen más fluidez verbal. Ahora bien, hay que tener en cuenta que desde que nacemos hasta que maduramos el tamaño del cerebro humano se cuadruplica. Y aunque los genes dirigen el desarrollo cerebral hasta que venimos al mundo, una vez nacidos la influencia del medio social predomina en la formación de los circuitos de neuronas que configuran nuestra materia gris.

Pienso que las corrientes sociales que fomentan el culto al patriarcado y sus connotaciones de superioridad masculina facilitan el desarrollo del talante violento en los hombres desde la infancia. Durante siglos, esta arraigada y poderosa fuerza cultural ha fomentado y justificado valores, actitudes y comportamientos dominantes y competitivos en los varones.

Por otra parte, el hecho de que el hombre no conciba, ni dé a luz, ni críe a los niños ha favorecido la aceptación por su parte de un papel social más despegado. Asimismo, la hormona testosterona —conocida por estimular la sexualidad y fomentar comportamientos combativos, inquietos e impulsivos— es mucho más abundante en los hombres que en las mujeres. Esta diferencia ha servido para incluir la agresividad y la habilidad para guerrear en el catálogo de expectativas, normas e incluso virtudes sociales masculinas.

Es también un dato epidemiológico que los hombres desarrollan personalidades paranoides, narcisistas y antisociales con una frecuencia ocho veces mayor que las mujeres. Estos tres tipos de trastornos del carácter se hacen evidentes durante la adolescencia y predisponen a actitudes y conductas hostiles y crueles. Igualmente, los hombres son más propensos que las mujeres a glorificar el consumo y abuso del alcohol y las drogas, conocidos fertilizantes de la agresión, un hecho que explica el protagonismo masculino en muchos altercados violentos.

Un caldo de cultivo archiconocido de temperamentos violentos es la familia vapuleada por los malos tratos y el abandono. Casi todos los pequeños que crecen en estos hogares muestran de mayores dificultad para verbalizar sentimientos y para comprender el punto de vista de otros. No obstante, muchos más niños que niñas se identifican con el agresor, que en la mayoría de los casos es también varón. Otra situación que fomenta las tendencias antisociales durante la infancia en los varones es la carencia total de modelos masculinos racionales y benévolos con quienes los pequeños se puedan identificar. Todas las criaturas sufren la falta de una relación con una figura paterna estable pero, en el caso del niño, este déficit debilita especialmente su capacidad de modular la intensidad de los impulsos agresivos.

En contraste, la responsabilidad legendaria de la mujer de proteger la supervivencia de la especie la ha dotado de una capacidad especial para unirse al proceso diario de sustentación y cuidado de la vida. También la ha favorecido con una especial habilidad para integrar, en lugar de separar, una escala de valores que da preferencia a la igualdad, minimiza las jerarquías y sitúa las necesidades tangibles de la persona por encima de los conceptos abstractos. En general, las mujeres sienten una clara antipatía por la violencia y una notable preferencia por la negociación y el consenso como métodos para resolver conflictos. Intuyo que estas cualidades benevolentes y racionales son precisamente las que se necesitan para navegar por las aguas borrascosas de estos tiempos.

No perdamos de vista que, en el fondo, los trágicos eventos del 11-S y la posterior cadena interminable de revanchas y contrarrevanchas ilustran dramáticamente el profundo fracaso de la comunicación, de la transigencia, del aprecio por la vida y de la empatía o capacidad de ponernos genuinamente en las circunstancias ajenas.

MÁS ESPIRITUALIDAD

Los estados depresivos unidos a la sensación de vulnerabilidad y al temor a un terrorismo más mortífero o incluso bacteriológico, químico o nuclear, han avivado en mucha gente la llama de la espiritualidad. Este efecto, evidente en los resultados de múltiples encuestas internacionales, es comprensible. Todos los seres humanos necesitamos sentir esperanza, especialmente en circunstancias adversas o peligrosas. La esperanza es una fuerza que nos impulsa a vivir y nos ayuda a mantenernos seguros y confiados. Está demostrado que los hombres y las mujeres que tienen fe en fuerzas superiores soportan mejor las experiencias traumáticas de la vida.

Casi todas las personas buscan depositar su fe en algo. Este algo puede pertenecer al reino de lo divino o al mundo de lo humano, como es el caso de los ideales de libertad, justicia, paz, amor y solidaridad. También puede consistir en un sentimiento de sintonización especial con la naturaleza o con algún aspecto del universo. La espiritualidad más extendida en estos tiempos es el sentimiento gratificador de conexión emocional íntima, tranquila y profunda con una fuerza que a la vez se encuentra fuera y dentro de nosotros.

Aunque las creencias religiosas continúan siendo para muchos una fuente de consuelo, cada día son más las personas que se alimentan de la espiritualidad de sus propias voces internas. La religión se está convirtiendo en algo menos dogmático y más personal. Una ilustración de este cambio es el hecho de que la mayoría de las personas religiosas, tanto en Europa como en Estados Unidos, opine que respetar las libertades individuales, como el derecho a la eutanasia, el divorcio o el aborto, es fundamental, aunque estas sean incompatibles con sus propios principios religiosos. Además está demostrado que las religiones más atractivas actualmente son las que predican un concepto de Dios bondadoso, tolerante, justo y protector.

Los nuevos conceptos de espiritualidad cada día prescinden más de rígidas doctrinas y ritos religiosos, de nociones sobrenaturales y hasta del concepto de inmortalidad. No se trata de obrar conforme a determinadas normas morales a la espera de recibir una recompensa en el más allá, sino de recoger los frutos de nuestras actitudes y comportamientos en este mundo. Así, el cielo y el infierno están aquí, dentro de nosotros. De hecho, la misma aceptación de nuestra irremediable caducidad estimula a mucha gente a luchar con un tesón especial por superar los inconvenientes que se cruzan en su camino, y les ayuda a apreciar la vida presente y a deleitarse con los buenos momentos.

Por ello, la antigua figura del Dios omnipotente, que dicta con autoridad lo que está bien y lo que está mal, premia a los buenos y castiga a los malos, está siendo sustituida por una imagen más abstracta y ambigua pero más cercana y muy capaz de consolar, de infundir esperanza, de suscitar amor y de dar sentido a la vida.

Aparte de esta tendencia cada vez más extendida en nuestros tiempos a buscar la paz interior conectándonos con algo superior que no llamamos Dios, sospecho que no pocos se han apuntado a esta nueva corriente de espiritualidad no religiosa como reacción al fenómeno de «divinización» de la violencia que hoy día estamos presenciando.

Da la impresión de que desde que los terroristas islámicos suicidas, al grito de «¡Alá es bueno!», estrellaron los aviones comerciales contra las Torres Gemelas repletas de miles de almas inocentes, el nombre de Dios se convirtió en la consigna regular de muchos de los hombres que cometen atrocidades. Por ejemplo, en Oriente Próximo, jóvenes palestinos, libro del Corán en mano, explosionaban en nombre de Dios bombas asesinas amarradas a sus cuerpos, en restaurantes y autobuses israelíes abarrotados de gente. Soldados judíos disparaban sus tanques con ensañamiento contra hombres, mujeres y niños indefensos en sus propias casas. Unos alegaban la promesa de Yahveh a Moisés de entregar esas tierras al pueblo elegido; otros, más prosaicos, decían simplemente que estaban saldando cuentas de acuerdo con el Libro de los Salmos y su sentencia de que «el justo se regocijará cuando, sediento de venganza, se lave los pies en la sangre del malvado». Al mismo tiempo, líderes políticos estadounidenses admitían públicamente que la mejor receta para aliviar la presión de las decisiones que tomaban con respecto a las contiendas en Oriente Próximo y el sur de Asia era «rezar».

Pero esto no es lo único que ensombrece la credibilidad de las grandes religiones institucionalizadas. En el último año ha salido a la luz pública, en Estados Unidos y algunos países de Europa, Sudamérica y África, extensa información sobre una caterva de sacerdotes pederastas que, durante décadas, se han aprovechado de su sagrado ministerio para seducir y obtener el placer sexual con niños y niñas que a menudo no habían cumplido doce años. Y, según demuestran los muchos casos publicados, no pocos prelados han encubierto y protegido a estos curas pervertidos, en lugar de denunciarlos y buscar sinceramente la causa y el remedio de esta escandalosa situación.

Me imagino que ante esta aparente tergiversación de credos de amor y respeto por la dignidad humana en doctrinas de odio y abuso, hombres y mujeres que anhelan encontrar una fuente espiritual de sosiego y serenidad han huido de las religiones establecidas en busca de otra tabla de salvación

Como resultado, la concurrencia a los centros donde se practican actividades espirituales, a lugares de meditación y a grupos de autoayuda ha aumentado notablemente en Estados Unidos y en otras naciones de Occidente desde el 11-S. La popularidad de los profetas, como el médico francés del siglo XVI Michel Nostradamus, también ha alcanzado niveles extraordinarios, incluso entre quienes nunca han confiado en predicciones ni en profecías. Pienso que estas creencias sirven para confortar a muchos hombres y mujeres que se sienten impotentes a la hora de guiar sus destinos.

Pues el mensaje profético es que detrás del caos y el miedo se oculta un orden divino, ecuánime y compasivo, que vigila los acontecimientos.

La popularidad de esta espiritualidad menos teológica y dogmática que la predicada hasta ahora por las religiones tradicionales está coincidiendo con un renovado impulso de practicar la ayuda solidaria, lo que ha dado lugar en los últimos años a un aumento de las actividades voluntarias altruistas que para muchos entrañan, en sí mismas, el significado y propósito de la existencia.

PROLIFERACIÓN DE ÁNGELES ANÓNIMOS

Ante las grandes catástrofes, naturales o humanas, la gran mayoría de las personas reacciona espontáneamente con generosidad y abnegación. Todavía permanece imborrable en mi memoria una escena de aquel aciago 11-S cuando miles de ángeles anónimos se agolpaban ante las puertas de los hospitales y centros oficiales neoyorquinos, reclamando la oportunidad de rescatar a las víctimas de los escombros, dar sangre o aliviar la angustia de los afectados. Cuarenta y ocho horas después de que se desplomaran las Torres Gemelas la lista de voluntarios y voluntarias sobrepasaba los dieciséis mil. Y a las pocas semanas de la tragedia, los donativos económicos para los damnificados por parte de individuos e instituciones privadas de todo el mundo excedían los dos mil millones de euros.

El impulso a ayudarnos unos a otros en momentos difíciles es muy común. No es razonable pensar que la humanidad hubiera podido sobrevivir a tantas hecatombes y enfrentamientos violentos sin una dosis abundante de solidaridad. Quizá sea este el motivo de que entre los consejos más antiguos que se conocen destaque el de fomentar en las personas el deseo de auxiliar a sus semejantes. Sin embargo, el torrente oceánico e incontenible de ángeles anónimos que se produjo tras los ataques del 11-S puso en evidencia que ni las instituciones públicas ni las privadas estaban preparadas para encauzar a tantos individuos que buscaban, y no pocos hasta exigían, la oportunidad de ayudar como fuese a las víctimas y a sus familiares.

Una vez superadas las calamitosas vicisitudes de los primeros meses que siguieron al desastre, se esperaba que la motivación altruista de la población volviera a su cauce normal. Estudios sobre este fenómeno indican que en las semanas siguientes a una catástrofe el número de voluntarios comienza a descender. De hecho, llega un momento en que el protagonismo continuado de las víctimas, como víctimas, provoca un cierto rechazo por parte del resto de la población. Hay personas que, una vez pasado el drama, la angustia y la tensión de los primeros momentos, se sienten incómodas en presencia de los damnificados, pues les recuerdan los sucesos penosos y sus propios sentimientos de dolor e indefensión que quieren olvidar.

Aunque un año después del 11-S el nivel de actividades filantrópicas voluntarias en Estados Unidos había descendido en comparación con la altura alcanzada inmediatamente después del atentado, en la actualidad el voluntariado, sobre todo en el campo de la sanidad y el bienestar social, se ha estabilizado en una cota muy superior a la que existía antes del desastre. En cuanto a organizaciones filantrópicas, el número de fundaciones creadas por individuos y familias en este mismo período se incrementó en un 12 por 100.

Hoy día, a medida que se prolongan los años de expectativa de vida y que la tecnología permite reducir el número de horas laborables, la calidad de nuestro tiempo libre se revaloriza. Ahora, hombres y mujeres de todas las edades disponen de más tiempo que nunca para practicar sus aficiones y también para dedicarse libremente a tareas de voluntariado. La práctica del altruismo es, por lo tanto, otro importante ingrediente actual que cobra máxima relevancia en la nueva normalidad.

Cuando nos ofrecemos a realizar un servicio que beneficia a otras personas, y aplicamos nuestras habilidades y talentos a causas filantrópicas, nos enriquecemos de muchas formas. Para empezar, ayudar a los demás repercute en nuestra identidad personal y social. Es una fuente de autoestima y nos recompensa con el placer de aportar nuestro tiempo y esfuerzo a la mejora del bienestar de nuestros semejantes, y el orgullo de participar en la estabilidad o prosperidad de la sociedad.

Está demostrado que las personas que se involucran en actividades sociales constructivas y consideran que tienen un impacto positivo en la vida de otros sufren menos de ansiedad, duermen mejor, abusan menos del alcohol o las drogas y persisten con más tesón ante los reveses cotidianos que quienes se sienten inactivos o ineficaces. Como nos aconsejó hace unos años la autora francesa Simone de Beauvoir, la solución para superar muchos de los retos que nos plantea nuestra natural fragilidad es «fijarnos metas que den significado a nuestra existencia, dedicarnos a personas, grupos o causas. Sumergirnos en el trabajo social, político, intelectual o artístico. Apreciar a los demás a través del amor, la amistad y la compasión».

Cuando preguntamos a los voluntarios qué es lo que más disfrutan de sus actividades altruistas, responden que el sentimiento de compartir sus recursos emocionales, físicos, sociales o económicos con los demás. Añaden que sus labores desinteresadas son un medio para mantener relaciones afectuosas, comunicarse y convivir. Y es que la buena convivencia estimula en nosotros la alegría, alivia la tristeza y constituye un antídoto eficaz contra los efectos nocivos de muchas calamidades. A pesar del ambiente acelerado y tecnológico de la vida actual, las relaciones con otras personas siguen siendo el medio primordial donde los seres humanos vivimos los momentos más felices. El auge y la popularidad de las actividades voluntarias sugiere que cada día más hombres y mujeres buscan la felicidad a través de la solidaridad.

Un beneficio adicional de las ocupaciones voluntarias es que nos facilitan la posibilidad de diversificar las parcelas que nutren nuestra satisfacción con la vida. Una cierta compartimentación de las facetas que nos gratifican, protege. Las personas que desempeñan a gusto varias funciones diferentes sufren menos cuando surgen contratiempos. Una tarea voluntaria bien dirigida puede amortiguar el golpe de una desgracia familiar o de un fracaso laboral. Lo mismo que los inversores no arriesgan todo su capital en un solo negocio, es bueno diversificar la fuente de dicha en nuestra vida.

Al observar a tantas personas generosas y abnegadas, sin nombre ni rostro, no son pocos los que se preguntan los motivos ocultos que empujan a los seres humanos a sacrificarse por otros a costa del bienestar propio. Por mucho que se les admire, no se les acaba de comprender. Gran parte del asombro y de la incredulidad que nos producen los actos altruistas brota de la noción negativa y pesimista de la naturaleza humana, tan de moda en nuestros días. Sin embargo, abundan los datos científicos que demuestran que el altruismo está perfectamente programado en nuestro equipaje genético. El mismo instinto biológico que nos impulsa a sobrevivir y a propagarnos, también estimula en nosotros la fraternidad.

En suma, la gran mayoría de los seres humanos venimos al mundo con un patrimonio genético que nos predispone a ayudarnos los unos a los otros y a disfrutar cuando lo hacemos. Dependiendo del medio social en el que vivimos, esta herencia solidaria puede mantenerse latente o puede florecer. Las circunstancias actuales, que combinan, por un lado, la vulnerabilidad y el miedo con la necesidad de aliento y de consuelo, y, por otro, la tecnología y el progreso que nos permiten vivir más y expandir el contenido de nuestro tiempo, han creado el ambiente ideal para que proliferen los ángeles anónimos.

Nostalgia del ayer

Es natural que en una época en la que gran parte de los habitantes del planeta se sienten descorazonados, vulnerables y aprensivos, y no pocos pueblos viven en circunstancias de una opresión insoportable, cunda la añoranza de los buenos tiempos pasados. Muchos son los convencidos de que estamos viviendo los peores momentos de la Historia. Según ellos, nunca hemos sentido tanta inseguridad, tanta intolerancia, tanta soledad, tanto despotismo, tanta crueldad.

Siempre ha habido personas afligidas por una amarga perspectiva del presente, personas que interpretan los cambios sociales contrastando un ayer glorioso con un ahora decadente. Pero la creencia de que vivimos al borde del abismo, dominados por un gen de destrucción, nos marca hoy con especial intensidad. Las imágenes de una antigüedad pacífica y piadosa sirven casi siempre de telón de fondo en las discusiones sobre los sucesos penosos y los conflictos violentos que ha vivido el mundo desde el 11-S.

Muchos nostálgicos del ayer revisten su pesimismo de un sentido de alarma o de crisis que relacionan con las calamidades del momento, con el preocupante «aquí» y «ahora». Ensimismados con la incertidumbre del presente, ignoran la posición ventajosa que ocupamos hoy, comparativamente, los seres humanos dentro del largo curso de nuestra existencia.

Comprendo que nos sintamos incómodos con la aparente incoherencia que implica afirmar en estos tiempos que no existe una edad de oro que añorar. La propensión humana a evitar este tipo de pensamientos incongruentes o disonantes, que discrepan de algo con lo que debieran estar conformes, es muy profunda. No obstante, el peligro de no corregir este juicio equivocado de nuestro tiempo es que, mientras lo mantengamos, no podremos entender y afrontar racionalmente los desafíos ante nosotros. Como ya he propuesto en otras ocasiones, la Historia es el mejor antídoto de esta visión sesgada del presente.

Si comparamos los índices de bienestar de hoy y de antaño, resulta inevitable concluir que cada día más habitantes del planeta se libran de los asaltos de las fuerzas naturales, de las epidemias, del hambre, de la ignorancia, de los abusos de autoridad y de las guerras mundiales en las que los muertos, en su mayoría personas civiles, se contaban en decenas de millones. No hace mucho tiempo la muerte visitaba a las familias con tal frecuencia que la pérdida de uno o varios hijos se consideraba normal, y el fallecimiento de los progenitores era un suceso esperado durante la infancia. Los niños y las mujeres eran propiedades deshumanizadas del hombre y la educación constituía el privilegio de unos pocos. Únicamente en los últimos diez años se ha empezado a calmar el desenfreno de invertir billones en construir bombas atómicas de destrucción masiva. Nunca tantos hombres y mujeres, mayores y pequeños, han vivido tanto y tan democráticamente como ahora, ni han disfrutado de tan alta calidad de vida.

Es obvio que los pueblos avanzan a ritmos diferentes en función de sus recursos naturales, de las fuerzas sociales y del carácter de sus habitantes. Las naciones siempre han entrelazado su andadura con las riquezas y los apuros de la época. Sería ilusorio negar que existen países enteros sumidos en el dolor y la miseria. Pero no es menos evidente que el mundo, en general, está inmerso en un proceso imparable de desarrollo impulsado por esa fuerza natural indestructible que nos lleva a buscar el bienestar propio y el de nuestros compañeros de vida.

Pienso que ninguna fuerza ha mejorado tanto la calidad de la existencia humana como nuestra capacidad de razonar y su manifestación en los frutos de la ciencia. Es cierto que el hecho de que el 11-S los terroristas utilizaran aviones comerciales como arma mortífera ha acentuado en mucha gente el rechazo de la ciencia y la vieja desconfianza en los avances de la tecnología moderna. La inquietud que suelen provocar los logros científicos hace que reflejemos apresuradamente en la tecnología los miedos y amenazas del momento, sin sopesar antes sus beneficios ni el buen o el mal uso que hacemos de ella. Incluso en estos momentos en los que el empleo destructivo de la ingeniería nuclear, química y biológica representa una posibilidad escalofriante, creo que la repulsa categórica de la ciencia ignora nuestra probada aptitud para aprovecharnos racionalmente del progreso.

Recordemos que no solo estamos equipados con genes que nos impulsan a perseguir aquello que favorece nuestra supervivencia, sino que además de la herencia genética también poseemos la capacidad de moldearnos a nosotros mismos y trabajar en equipo para forjar un mejor destino para todos. De ahí que sea razonable pensar que la gran mayoría de las personas continuásemos celebrando la vida hasta el final. Porque por mucho que las inevitables desgracias nos empujen a desesperarnos y a abandonar, siempre será más fuerte el impulso vital que nos anime a continuar.

PERDONAR LO IMPERDONABLE

El perdón es una parte integrante de esa fuerza vital que permite a nuestra especie perpetuarse. De hecho, resulta difícil explicar la multimilenaria propagación y convivencia del género humano sin contar con una dosis abundante de perdón, puesto que nuestra historia incluye un índice interminable de traiciones, guerras, masacres, comportamientos sádicos y abusos de la fuerza.

Es verdad que odiar a quienes nos dañan intencionadamente y resistirnos a perdonar actos diabólicos de brutalidad son respuestas humanas muy comunes y normales. De hecho, si preguntamos a nuestro alrededor, bastante gente mantiene archivada en su mente una lista más o menos extensa de transgresiones imperdonables. Entre los ejemplos que se suelen mencionar de tormentos barbáricos, incompatibles con el perdón, encontramos el asesinato o la tortura de un niño, la violación en pandilla de una mujer, el linchamiento de un hombre por pertenecer a una raza diferente, o las matanzas de personas inocentes a manos de terroristas. Ante este tipo de depravaciones, no nos extrañamos que muchos piensen que perdonar a sus perpetradores es una incoherencia absoluta, una proposición inmoral, una aberración de la piedad humana o, sencillamente, es pedir demasiado.

No obstante, la disyuntiva de perdonar lo imperdonable se ha convertido en el más reciente elemento de nuestro nuevo equilibrio psicológico. En mi experiencia, incluso ante agresiones tan crueles como la matanza y los horrores del 11-S, casi todas las personas se plantean, de una forma o de otra, tarde o temprano, la difícil cuestión de perdonar. Algunos tardan semanas, otros esperan meses, los hay que dejan pasar años. Pero con la marcha inexorable del tiempo, la mayoría afronta inevitablemente el desgarrador dilema del perdón.

La opción de perdonar y la forma que adopta el perdón están condicionadas por la explicación que le damos a la injuria, por nuestra personalidad, por la huella que dejaron en nosotros otras experiencias penosas anteriores, por la concepción que tenemos de la naturaleza humana, por nuestros valores morales o creencias religiosas y por el sentido que le asignamos a la existencia. Esto explica que el significado del perdón varíe de persona a persona.

Se acostumbra a pensar que el perdón requiere un intercambio entre dos partes —el ofendido y el ofensor—, transacción que idealmente resulta en la restauración de la relación. Para que esta situación se produzca, ambos tienen que querer y poder participar y comunicarse personalmente. La realidad, sin embargo, es que en la mayoría de los casos ni las víctimas ni sus verdugos cumplen estos requisitos. Por eso, casi siempre las personas perdonan a solas. Perdonar lo imperdonable tampoco tiene que ver con dictámenes judiciales, posturas políticas, ritos religiosos, o con criterios considerados éticamente correctos. Ni es algo etéreo o divino que surge automáticamente como los perfumados vapores que salen del pulverizador. La decisión de perdonar lo imperdonable es un proceso mental y emocional arduo, lento y doloroso, que requiere introspección, valor y esfuerzo.

El concepto de perdón típico de estos nuevos tiempos es privado y personal. Es un estado de ánimo subjetivo, silencioso, íntimo, que las víctimas o los damnificados elaboran en sus corazones y en el que no mandan las palabras ni los silogismos, sino los sentimientos. El objetivo principal de perdonar lo imperdonable es liberarnos del lastre del odio y de la enorme carga opresiva que supone permanecer en la identidad de víctima, para poder concentrar nuestras energías en reconstruir con entusiasmo nuestra vida.

Es un perdón que no disminuye la gravedad ni la maldad de la ofensa, por lo que no elimina la necesidad de aplicar la justicia. No exige arrepentimiento o contricción a los culpables, ni les exime de su responsabilidad. Se trata de un perdón que no hace olvidar la experiencia traumática, sino que ayuda a los afectados a ponerla en perspectiva, a entenderla, a aceptar que el sufrimiento es una parte normal de la vida, y a pasar la página. Esto me recuerda una frase que dijo en una ocasión mi agudo y prestigioso colega neoyorquino Thomas Szasz: «Los tontos ni perdonan ni olvidan; los ingenuos perdonan y olvidan; los sabios perdonan pero no olvidan».

Muchas personas que no perdonan viven aparentemente satisfechas detestando a todos aquellos que las agravian. No obstante, si profundizamos en sus vidas observamos que el odio enquistado al agresor les impide curar la herida, las mantiene estancadas, cautivas en el ayer lacerante. El rencor absorbe su atención y limita su capacidad de relacionarse y de confiar en otros, de sentir ánimo o alegría, y, en definitiva, menoscaba el vigor que necesitan para extraerle a la vida lo mejor que ofrece. Después de todo, aborrecer intensamente requiere afán, concentración y un amargo y estrecho vínculo con el objeto aborrecido.

Quienes perdonan tienen más posibilidades de deshacer los nudos que les atan al dolor sufrido y a sus torturadores, algo que les ayuda a recuperar la paz interior, a abrirse al mundo y a controlar su propia suerte. Como escribe Desmond Tutu, el obispo anglicano de Suráfrica que recibió el Premio Nobel de la Paz en 1984 por su eficaz oposición al sistema de segregación racial de su país, «sin perdón no hay futuro».

Cada día un mayor número de personas son conscientes de los beneficios emocionales que aporta el perdón. Si deciden perdonar lo imperdonable, es porque saben que, al final, es bueno para la salud.

Imagino que el odio fanático y los atentados terroristas seguirán formando parte del catálogo de horrores humanos durante mucho tiempo. Pero el altruismo, la filantropía, la revulsión contra la violencia y la disposición a perdonar también seguirán siendo los distintivos de la humanidad.

En el futuro que se despliega ante nosotros, más hombres y mujeres construirán sus vidas como seres libres, racionales, pacíficos y generosos. Quizá no pueda ser de otra forma, pues sin un talante vitalista y solidario nuestra especie no hubiese perdurado ni, mucho menos, evolucionado para mejor, como lo ha hecho.

Notas y referencias bibliográficas

Datos y cronología de los ataques del 11-S.—En la mañana del martes 11 de septiembre de 2001, diecinueve hombres islámicos, armados con navajas, y entrenados en pilotaje de grandes aeronaves comerciales, secuestraron cuatro aviones de pasajeros de compañías estadounidenses, redujeron a los pasajeros y a la tripulación y se hicieron con los mandos. Seguidamente, estrellaron dos aviones contra las Torres Gemelas de Nueva York y uno contra el Pentágono en Washington, mientras que el cuarto aparato cayó en un campo de Pensilvania, ejecutando así el atentado terrorista más mortífero y devastador de la historia, en tiempo de paz.

Los diecinueve terroristas eran oriundos de países de Oriente Próximo, en su mayoría saudíes. A diferencia del perfil joven, pobre y poco formado, típico de los terroristas suicidas hasta entonces, estos hombres rondaban los treinta y tres años de edad, eran de clase media y poseían un alto nivel de preparación. Según información oficial, habían residido en Estados

Unidos durante meses, donde algunos hicieron cursos de piloto. Pertenecían a la organización extremista islámica Al Qaeda —La Base—, encabezada por el exiliado multimillonario saudí Osama Ben Laden, que residía en Afganistán, protegido por el gobierno talibán, y a quien se le acusaba de haber dirigido otros atentados contra embajadas estadounidenses en África.

Los cuatro aviones secuestrados se dirigían a California, cargados de pasajeros y con los depósitos rebosando de unos 40.000 litros de carburante. El primer avión, un Boeing 767, el vuelo número 11 de American Airlines, con salida de Boston y destino Los Ángeles, se estrelló contra la Torre Gemela Norte a las 8.46 de la mañana neoyorquina (14.46, hora peninsular española). Este gigantesco rascacielos de 110 plantas y 575 metros de altura, incluyendo el mástil de 119 metros que servía de soporte de diez antenas de televisión, se derrumbó a las 10.28 horas, ciento dos minutos más tarde. El segundo avión, otro Boeing 767, el vuelo 175 de United Airlines que también había partido de Boston con destino a Los Ángeles, impactó a las 9.03 contra la Torre Gemela Sur. Esta torre, igualmente de 110 pisos y con una terraza-mirador por la que circulaban diariamente unos 75.000 turistas, fue la primera en desplomarse, a las 9.59. El tercer avión, un Boeing 757 de American Airlines, vuelo 77 de Washington a Los Ángeles, chocaba a las 9.39 contra el Pentágono. Finalmente, otro Boeing 757, el vuelo 93 de United Airlines de Newark a San Francisco, cayó en un descampado de Pensilvania a las 10.10 horas de la misma mañana, al parecer después de que un grupo de pasajeros intentara inmovilizar a los terroristas por la fuerza.

Las víctimas.—Según las cifras oficiales publicadas en el mes de junio de 2002, se calcula que, sin incluir a los diecinueve terroristas, los atentados del 11-S produjeron un total de 3.044 muertos; 2.820 personas perecieron en el World Trade Center, incluyendo los 147 pasajeros y tripulantes que viajaban en los dos aviones secuestrados. En el Pentágono perdieron la vida 184 personas, contando los 59 pasajeros del avión, y en Pensilvania perecieron 40 pasajeros.

En Nueva York, durante las primeras setenta y dos horas unos dos mil hombres y mujeres, muchos de ellos miembros de los equipos de rescate, acudieron lesionados a las salas de urgencias de los cinco hospitales más próximos al desastre. La mayoría presentaba heridas superficiales, problemas respiratorios por inhalación de partículas y humo, o lesiones en los ojos causadas por los residuos del derrumbamiento. Apenas doscientos heridos presentaban contusiones, fracturas o quemaduras lo suficientemente graves como para ser hospitalizados. Únicamente nueve personas murieron en hospitales a consecuencia de sus lesiones. De todos los desaparecidos en el World Trade Center, solo el 38 por 100 fueron identificados; el 1 por 100 fueron reconocidos por familiares a la vista del cadáver; la identidad del resto de los muertos fue obtenida gracias a análisis de ADN, a radiografías dentales y en menor proporción a las huellas dactilares.

El 60 por 100 de todos los muertos en los ataques eran varones. El mayor número de fallecidos tenía entre treinta y cinco y treinta y nueve años de edad. La víctima más joven fue una niña de dos años y medio, que pereció junto con su madre y su padre en la Torre Gemela Sur, y la de mayor edad, un hombre de ochenta y cinco años que perdió la vida en la Torre Gemela Norte. El 70 por 100 murió en los 19 pisos más altos de la Torre Gemela Norte y en los últimos 33 pisos de la Torre Gemela Sur, justo por encima de las zonas de los impactos de los aviones. El 98 por 100 de las víctimas que perecieron se encontraban trabajando en el momento del atentado. Esta cifra incluye 343 bomberos y 23 policías municipales que acudieron al siniestro. Aunque entre los difuntos se contaban residentes de 25 estados norteamericanos y personas nacidas en 125 países, el 63 por 100 eran neoyorquinos.

Por lo menos 350 de los desaparecidos en las Torres Gemelas lograron contactar con alguien fuera de las Torres. Sus últimas palabras fueron publicadas, con el permiso de sus familiares, en varios medios estadounidenses. En su mayoría, aparecieron en *The New York Times* del 26 de mayo de 2002.

El World Trade Center (Centro Mundial de Comercio).— Construido en un periodo de unos veinte años —de 1966 a 1987— y ubicado en el sur de la isla de Manhattan, entre la orilla este del río Hudson y Wall Street, la calle donde se encuentra la Bolsa de Nueva York, fue hasta el 11-S el mayor complejo de oficinas del mundo. El World Trade Center estaba valorado aproximadamente en 5.000 millones de euros, tenía una extensión de ocho hectáreas o unos quince campos de fútbol, y estaba compuesto por siete grandes edificios, incluidas las Torres Gemelas. En sus locales trabajaban unas 55.000 personas. Sus seis niveles de subsuelo, de unos veinticinco metros de profundidad, alojaban cientos de tiendas, servían de vía principal de comunicaciones de trenes de cercanías y del metro de la ciudad. Por estas galerías y pasadizos circulaban unos doscientos mil peatones en los días laborales. El World Trade Center ya había sido objeto de un atentado terrorista. El 23 de febrero de 1993, un grupo local de fanáticos religiosos islámicos explosionaron un enorme camión bomba en el aparcamiento subterráneo debajo de las Torres

Gemelas. El atentado causó grandes daños materiales y seis muertos.

El derrumbamiento de las Torres Gemelas el 11-S provocó el desplome total de los otros cinco edificios que configuraban el World Trade Center, incluyendo el Hotel Marriott, de 22 pisos, y el edificio de 47 plantas que albergaba el Centro de Control de Emergencias de la ciudad. También causó grandes desperfectos a otros once rascacielos cercanos, incluyendo los tres edificios del Financial Center. Los trabajos ininterrumpidos de desescombro duraron nueve meses y limpiaron más de un millón y medio de toneladas de cemento y acero.

NOTA A LOS LECTORES

KEEGAN, John, *A history of warfare,* Alfred A. Knopf, Nueva York, 1993.

1. ESCENARIO DEL HORROR

BARRY, Dan, «Hospitals, pictures of medical readiness», *The New York Times,* 12 de septiembre de 2001, pág. A9.

FRANK, Anne, *Diary of a young girl* (1992-1994), Doubleday, Nueva York, 1995.

GALEA, Sandro, y otros, «Psychological sequelae of the September 11 terrorist attacks in New York City», *The New England Journal of Medicine* 346 (2002): 982-987.

GIBRAN, Khalil, *El profeta* (1903), Biblioteca Edaf, Madrid, 1991.

HUTCHINSON, Robert, *Sometime lofty towers*, Browntrout Publishers, San Francisco, 2001.

LIPTON, Eric, «In cold numbers, a census of the sept. 11 victims», *The New York Times,* 19 de abril de 2002.

— «DNA science pushed to the limit in identifying the dead of sept. 11», *The New York Times,* 22 de abril de 2002.

«Rapid assessment of injuries among survivors of the terrorist attack on the World Trade Center», *Morbidity and Mortality Weekly Report*, 51, 1, Center for Disease Control, Washington, 2002.

SCHUSTER, Mark A., y otros, «A national survey of stress reactions after the september 11, 2001, terrorist attacks», *The New England Journal of Medicine* 345 (2002): 1507-1512.

VEALE, Scott, «Voices from above», *The New York Times,* 16 de septiembre de 2001.

WHITE, Elwyn B., *Here is New York,* Harper & Brothers, Nueva York, 1949, pág. 54.

2. TRAUMA Y SUPERACIÓN

BRESLAU, Naomi, y otros, «Previous exposure to trauma and PTSD effects of subsequent Trauma», *American Journal of Psychiatry* 156 (1999): 902-907.

BROWN, Daniel, y otros, *Memory, trauma treatment and the law,* W. W. Norton, Nueva York, 1998.

CENTERS FOR DISEASE CONTROL, «Health status of Vietnam veterans», *Journal of the American Medical Association* 259 (1988): 2701-2709.

EATON, Leslie, «Worst job loss for New York in a decade», *The New York Times,* 6 de marzo de 2002.

GALEA, Sandro, y otros, «Psychological sequelae of the September 11 terrorist attacks in New York City», *op. cit.*

HEIM, Christine, y otros, «Pituitary-adrenal and autonomic responses to stress», *Journal of the American Medical Association* 284 (2000): 592-597.

HERMAN, Judith Lewis, *Trauma and recovery,* Basic Books, Nueva York, 1992.

Hughes, Robert, *The culture of complaint,* Oxford University Press, Nueva York, 1993.

JONG DE JOOP, y otros, «Lifetime events and posttraumatic stress disorder in 4 post-conflict settings», *Journal of the American Medical Association* 286 (2001): 555-562.

KENDLER, Kenneth S., y otros, «Causal relationship between stressful life events and the onset of major depression», *American Journal of Psychiatry* 156 (1999): 837-841.

KOLK, Bessel A. van der, y otros, *Traumatic stress,* The Guilford Press, Nueva York, 1996.

KRYSTAL, Henry, *Massive psychic trauma,* International University Press, Nueva York, 1968.

LEVY, Ariel, «Serious fun», *New York Magazine,* 11 de febrero de 2002.

MAILMAN School of Public Health, «Estudio del impacto del 11-S en niños», en Abby GOODNOUGH, «Post-9/11 pain found to linger in young minds in New York», *The New York Times,* 2 de mayo de 2002.

NAGOURNEY, Eric, «Personal assessments shift after september 11», *The New York Times,* 15 de enero de 2002.

NEMEROFF, Charles, «The preeminent role of early untoward experience on vulnerability», *Molecular Psychiatry* 4(1999): 106-108.

ROJAS MARCOS, Luis, *Las semillas de la violencia,* Espasa Calpe, Madrid, 1995.

— *Nuestra felicidad,* Espasa Calpe, Madrid, 2000.

152

SCHUSTER, Mark A., y otros, «A national survey of stress reactions after the september 11, 2001, terrorist attacks», *op. cit.*

SHERIDAN, Robert, y otros, «Long-term outcome of children surviving massive burns», *Journal of the American Medical Association* 283 (2000): 69-77.

SPIEGEL, David, «Healing words», *Journal of the American Medical Association* 281 (1999): 1328-1329.

— «Mind matters, group therapy and survival in breast cancer», *The New England Journal of Medicine* 345 (2001): 1767-1768.

STIERLIN, Edouard, «Nervous and psychic disturbances after catastrophes», *Deutsches Medizinische Wochenschrift* 37 (1911): 2028-2035.

TAYLOR, Shelley E., *Positive illusions,* Basic Books, Nueva York, 1989.

TRUJILLO, Manuel, en Robin POGREBIN, «Bellevue psychiatry chief creates action plan to tame a horrendous nightmare», *The New York Times,* 15 de septiembre de 2001.

YEHUDA, Rachel, «Post-traumatic stress disorder», *The New England Journal of Medicine* 346 (2002): 108-114.

3. LA NUEVA VIDA NORMAL

ALEXANDER, Gerianne M., y PETERSON, Bradley S., «Sex steroids and human behavior: implications for developmental psychopathology», *CNS Spectrums* 6 (2001): 75-88.

ASPINWALL, Lisa, en «Making a case for optimism», *The New York Times,* 20 de junio de 2000.

BEAUVOIR, Simone de, *La vieillesse,* Editions Gallimard, París, 1970. (Trad. Española: *La vejez,* EDHASA, Barcelona, 1989.)

NOTAS Y REFERENCIAS BIBLIOGRÁFICAS

BENNET, James, «Mideast balance sheet», *The New York Times,* 12 de marzo de 2002.

«¿Cómo ha cambiado el mundo desde el 11 de septiembre?», *El País Semanal,* 30 de diciembre de 2001.

DABBS, James M., y otros, «Testosterone, crime and misbehavior among 692 male prison inmates», *Personality and Individual Differences* 18 (1995): 627-633.

— «Testosterone, social class, and antisocial behavior in a sample of 4,662 men», *Psychological Science* 1 (1990): 209-211.

DOZIER, Rush W., *Fear itself,* St. Martin's Press, Nueva York, 1998.

El Corán, 17/33.

FISCHER, Agneta H., y otros, *Gender and emotion*, Cambridge University Press, Nueva York, 2000.

GIBRAN, Khalil, *El profeta* (1923), Biblioteca Edaf, Madrid, 1991.

GOLDBERG, Bernard, *Bias,* Regnery Publishing, Washington, D. C., 2002.

HOBBES, Thomas, *De cive, in man and citizen* (1651), Hackett, Indianapolis, 1991.

HOYENGA, Katharine Blick, y HOYENGA, Kermit T., *Gender-related differences*, Simon & Schuster, Inc., Boston (Massachusetts), 1993.

JENKINS, Brian M., «Anatomy of a terrorist attack», en *How did this happen,* Public Affairs Reports, Nueva York, 2001.

KENDLER, Kenneth S., y otros, «Causal relationship between stressful life events and the onset of major depression», *American Journal of Psychiatry* 156 (1999): 837-841.

KING, Martin Luther, Jr., *Stride towards freedom: the Montgomery story,* Harper & Row, Nueva York, 1958.

154

LAQUEUR, Walter, «The changing face of terror», en *How did this happen,* Foreign Affairs Reports, Nueva York, 2001.

LERNER, Gerda, *The creation of patriarchy,* Oxford University Press, Nueva York, 1986.

MACHIAVELLI, Niccolò, *El príncipe* (1513), Cambridge University Press, Cambridge, 1988.

MONTAIGNE, Michel de, *Ensayos* (1589), Stanford University Press, Stanford, 1957.

MURPHY, Deon, «Beyond justice, the eternal struggle to forgive», *The New York Times,* 29 de mayo de 2002.

OLFSON, Mark, y otros, «National trend in the outpatient treatment of depression», *Journal of the American Medical Association* 287 (2002): 203-209.

PUTNAM, Robert D., «Dwindling of social capital», en Janny SCOTT, «Once bitten, twice shy», *The New York Times,* 21 de abril de 2002.

ROJAS MARCOS, Luis, *Nuestra felicidad, op. cit.*

— «La retórica del terrorista», en *Antídotos de la nostalgia,* Espasa Calpe, Madrid, 1998.

— *Ángeles anónimos,* Fundación La Caixa, Barcelona, 2001.

— «En nombre de Dios», *El País,* 25 de abril de 2002.

SCHULTZ, Nancy L., y otros, *Fear itself,* Purdue University Press, Indiana, 1999.

WORTH, Robert F., «Truth, right and the American way», *The New York Times,* 24 de febrero de 2002.

ÍNDICE ANALÍTICO

156